APÉRO QUIZZ

CINÉ

D0635507

APÉRO QUIZZ

CINÉ

QUENTIN LE GOFF

TURNADE

ISBN : 978-2-35486-031-8
Dépôt légal : novembre 2008.
Imprimé en Italie.
© Éditions Tourbillon, pour la marque Tornade.
221, bd Raspail, 75014, Paris, France

APÉRO QUIZZ

Comment ça marche ?

La règle, c'est qu'il n'y en a pas.

Le seul but, et la seule prétention, de cet Apéro Quizz, c'est que vous passiez un bon moment entre amis. À tour de rôle, l'un de vous prend ce livre en main et pose les questions à ses petits camarades en train de siroter leur pastis ou de grignoter leur rondelle de saucisson.

Répartissez les invités en deux équipes. C'est plus rapide, plus drôle, plus convivial. Et puis, vous évitez qu'une « grosse tête » — il y en a toujours une ! — sorte du lot et vous plombe la partie.

Quand vous en avez marre de lire les questions, passez à votre voisin. Ou bien établissez une règle de départ : une toute simple consiste à se dire que le premier qui obtient 50 points a gagné. Et alors on change les équipes.

Mais c'est quoi cette histoire de points ?

Nous y voilà. Grande originalité de ce petit livre, outre l'extraordinaire choix de questions pertinentes, quoique futiles mais néanmoins caustiques, c'est que vous allez vite découvrir qu'il n'est pas si déplaisant de tenir le rôle du poseur de questions. Car, une fois n'est pas coutume, c'est vous qui décidez de leur valeur en nombre de points. Sur quelle base ? C'est en fonction de ce que vous savez de la réponse, de l'intérêt que vous portez à la question, de la difficulté présupposée que vous lui attribuez ! Dites-le à votre assemblée.

Bon… parfois, on vous donne quelques indications, comme ça, juste pour vous, mais vous en faites ce que vous voulez, évidemment.

Et quand il y a des indices, pareil… À vous de dire à l'avance, avant de lire la question aux joueurs, de combien de points ces indices seront crédités. Il n'y a pas d'indices pour toutes les questions. C'est normal.

Vous allez voir, c'est très rigolo…

On connaît des gens un peu cérébraux qui se mettront à gamberger : s'il ne met que 2 points à celle-là, c'est que c'est hyper-simple !

Et puis, manque de bol, celui qui pose la question connaît comme personne la filmographie de Quentin Tarantino ! Alors, pour lui évidemment, cette question ridicule sur Quentin Tarantino est super-fastoche !

Vous allez vite voir que la valeur que vous avez donnée à la question ne manquera pas de soulever de sacrées objections. Tant mieux. Car c'est vous, plutôt que nous, qui serez incriminé, cher lecteur.

Pour une fois, vous ne pourrez pas dire : « Il est nul ce bouquin, c'est n'importe quoi la valeur des questions ! » Nous, on s'en lave les mains, ouf…!

Bon, voilà, c'est donc tout simple.

Mais si ça vous saoule, cette histoire de points, laissez tomber. C'est sympa sans enjeu ni compét'… Nous espérons surtout que vous allez passer un bon moment en vous remémorant des choses enfouies dans votre mémoire.

À notre humble avis, il y a là de quoi occuper une bonne quinzaine d'apéros, à raison d'une vingtaine de questions à chaque fois. Là aussi, c'est purement à titre indicatif ! En tout cas, dans chaque paquet de vingt questions, vous retrouverez à peu près les mêmes thématiques : Histoire du cinéma, films primés, acteurs, couples, record, derrière la caméra, citations cultes, comédie, animations (oui, les enfants aussi ont le droit de participer à l'apéritif. Ou bien, ils peuvent seulement servir de joker : « Cunégonde, sort du bac à sable et viens aider papa à répondre à la question ! »)...

Même pas obligé de lire dans l'ordre, d'ailleurs. C'est comme à l'apéro, si vous préférez picorer, aller d'une page à l'autre, au hasard du livre, libre à vous.

On ne voudrait surtout pas s'imposer. Il se peut que vous soyez des sportifs de l'apéro, du genre à siroter et boulotter à toute vitesse, alors vingt questions, ça paraîtra un peu long à certains, parce que quand même, y a les merguez qui attendent...

Pour d'autres, les épicuriens de l'apéro, tranquillement installés dans un transat, face à la mer et le soleil se couchant à l'horizon, vous préférerez continuer à vous instruire jusqu'au bout de la nuit, peu importe si les merguez carbonisent sur le barbecue. Dans ce cas, allez-y ! Lâchez-vous… 25, 28, 32 questions sur le même apéro.

Y a pas de règle, on vous dit !

Vous allez retrouver dans cet Apéro Quizz des sujets qui vont inévitablement réveiller en vous un fonds enfoui de culture populaire universelle, mais aussi à dominante bleu-blanc-rouge.
Un très sérieux avantage pour les férus du septième art certes… il faut l'avouer. Mais que ça n'empêche pas les autres de jouer car les réponses sont censées être sympas, pas seulement les questions.

Voilà, c'est parti !

histoire du cinéma

Quels sont les trois premiers films de l'histoire du cinéma, présentés ensemble lors d'une projection publique ?
Quels en sont les réalisateurs ?

Les célèbres **frères Lumières** déposent un brevet pour leur cinématographe le 13 février 1895. Il est largement inspiré par l'invention de Thomas Edison, qui n'avait déposé son brevet qu'aux États-Unis).
Le 28 décembre 1895, on assiste à une projection publique payante de : *L'Arroseur arrosé*, *Le Repas de bébé* et *La Sortie de l'usine Lumière à Lyon*. Le premier jour, seuls trente-trois spectateurs (dont deux journalistes) viennent apprécier les courts-métrages.

films primés

En quelle année le festival de Cannes fut-il créé ?

Indice ① : Après Jésus-Christ

Indice ② : Après Charlemagne

Indice ③ : Après la Seconde Guerre mondiale

En 1946. À l'origine, le premier festival de Cannes devait avoir lieu le 1er septembre 1939 et être présidé par Louis Lumière en personne. Mais la guerre éclata, et le festival fut reporté. Lors de cette première cérémonie, pas moins de 12 Palmes d'or furent décernées (dont deux à des films français : *La Symphonie pastorale*, de Jean Delannoy, et *La Bataille du rail*, de René Clément) !

Quel acteur retrouve-t-on dans des seconds rôles géniaux dans les films :
The Hit (1983), de Stephen Frears, *Reservoir Dogs* (1992) et *Pulp Fiction* (1994), de Quentin Tarantino, *Tout le monde dit I love you* (1996), de Woody Allen, *Bread and Roses* (2000), de Ken Loach, *La Planète des singes* (2001), de Tim Burton, et *Funny Games* (2008), de Michael Haneke ?

Tim Roth est un adepte des seconds rôles dans des films de grands réalisateurs. Il a un premier rôle dans *L'Homme sans âge* (2007), de Francis Ford Coppola, sorte d'apogée de cette carrière de seconds rôles.

Pouvez-vous citer, dans l'ordre, les quatre épisodes de la célèbre série des *Indiana Jones* ?

Les Aventuriers de l'arche perdue (1981) ; *Le Temple maudit* (1984) ; *La dernière croisade*, (1989) ; et *Le Royaume du crâne de cristal*, (2008).

COMÉDIE

Dans quel film de Cédric Klapisch retrouve-t-on la famille Ménard « Au Père Tranquille », café provincial ?

Dans *Un air de famille* (1996) avec Jean-Pierre Bacri, Agnès Jaoui, Jean-Pierre Darroussin et Catherine Frot.

record

Quel film est le plus gros succès
du box-office français ?

Hé non, ce n'est pas *Bienvenue chez les Ch'tis*
(qui est le film français qui a fait le plus
d'entrées : vingt millions trois cent mille, devant *La
Grande Vadrouille* : dix-sept millions deux cent mille),
mais *Titanic*, avec vingt millions sept cent cinquante
mille entrées. Mais à l'heure où nous vous parlons,
Bienvenue chez les Ch'tis continue de faire des
entrées... Peut-être deviendra-t-il numéro un d'ici
peu !

Derrière la caméra

Pouvez-vous citer les deux longs-métrages coréalisés par Jean-Pierre Jeunet (réalisateur d'*Amélie Poulain*) et *Marc Caro* ?

Il s'agit de **Delicatessen** et de **La Cité des enfants perdus**, deux films à l'univers délicieusement glauque.

citations cultes

Quel personnage (et quel acteur) prononce les paroles suivantes, et dans quel film ?

① « Maman disait toujours : "La vie, c'est comme une boîte de chocolats : on ne sait jamais sur quoi on va tomber." »

② « On n'est pas bien là ? Paisibles, à la fraîche, décontractés du gland, et on bandera quand on aura envie de bander… »

① **Forrest Gump (Tom Hanks)**, dans le film éponyme.
② **C'est Jean-Claude (Gérard Depardieu)**, dans *Les Valseuses* de Bertrand Blier.
Le saviez-vous ? Au moment de sa sortie en salle, en mars 1974, le film fut interdit aux moins de 18 ans.

Quel premier grand acteur comique sera le modèle de Charlie Chaplin ?

Max Linder. Le premier film de Chaplin : *Pour gagner sa vie (Making a living)*, paru en 1914, ne nous dévoile pas encore le personnage de Charlot, puisque ce dernier ne sera défini qu'au cours de l'année. Chaplin, dans ce film, est coiffé d'un haut-de-forme et vêtu d'une redingote, attributs de ce dandy à la française surnommé « l'homme au chapeau de soie » : Max Linder.

les films avec le mot...

Pourriez-vous trouver au moins trois films avec le mot... « nuit », dans le titre ?

En voici quelques-uns :
La Nuit américaine, de François Truffaut, 1973.
Une Nuit en enfer, de Robert Rodriguez, 1996.
Comédie érotique d'une nuit d'été, de Woody Allen, 1982.
Les Mille et Une Nuits, de Pier Paolo Pasolini, 1974.
La Nuit des morts vivants, de George A. Romero, 1970.
Juste avant la nuit, de Claude Chabrol, 1971.

CHERCHER L'ERREUR

Parmi tous ces titres de films incongrus, seul un n'a pas existé. Saurez-vous retrouver lequel ?

Propositions :

① *L'Attaque de la moussaka géante*

② *Tue et tue encore*

③ *Slash le Découpeur*

④ *La Nuit du remords vivant*

Il s'agit du dernier, *La Nuit du remords vivant*. Dans l'ordre, voici les réalisateurs et dates de parution des trois autres :
① Panos H. Koutras, 2001
② Yvan Hall, 1981
③ John Gale, 1987

couples

① Qui est l'acteur « fétiche » de Martin Scorsese ?

② Pouvez-vous nommer trois films témoins de leur coopération ?

① **Il s'agit, bien sûr, de Robert de Niro**
② **On le retrouve dans huit films de Martin Scorsese, dont *Taxi Driver* (1976),
New York New York (1977), *Raging Bull* (1980),
Les Affranchis (1990), *Les Nerfs à vif* (1991),
Casino (1995)...**

Quel film est le plus gros succès du box-office américain ?

Indice : Il y a de l'eau, beaucoup d'eau.
Et des glaçons aussi.

Encore et toujours *Titanic*, avec plus de 600 millions de dollars de recette (pour 200 millions de dollars de budget).

les films primés

Avec quel film Federico Fellini remporte-t-il
la Palme d'or à Cannes en 1960 ?

La Dolce Vita, portrait de Marcello (Marcello
Mastroianni), journaliste qui découvre la haute
société romaine.
Le saviez-vous ? Le nom du photographe qui
l'accompagne sans arrêt, Paparazzo, est à l'origine
du mot *paparazzi*.

Comment se nomme le célèbre couple formé d'un inventeur maladroit (amateur de crackers et de fromage) et de son chien intelligent ?

Wallace et Gromit.

Le saviez-vous ? Les personnages de ces films sont en Plastiline (de la pâte à modeler qui ne sèche pas) et les scènes sont tournées image par image : l'équipe de Nick Park (l'inventeur de ces personnages) ne peut ainsi tourner que deux secondes de film par jour !! Fastidieux... mais génial !

musique

Quel est la chanson inséparable de *Rocky* ?

« *Eyes of the Tiger* », du groupe Survivor.

grands classiques

Quel film de Serguei Eisenstein narrant une mutinerie durant la Révolution russe de 1905 est également révolutionnaire au point de vue du montage et de la manière de filmer ?

Le Cuirassé Potemkine, paru en 1925. On se souvient du travelling qui permet de suivre un landau dévalant les marches de l'escalier d'Odessa. Cette « révolution » du montage est précurseur de la « révolution » surréaliste qui gagnera l'Europe avec des films comme *Un chien andalou*, de Luis Buñuel (1929), ou *Zéro de conduite*, de Jean Vigo (1932).

où ça ?

Voici une série de films ; retrouvez dans quelle ville ils se déroulent.

① *L'Auberge espagnole*, de Cedric Klapisch

② *La Vie des autres*, de Florian Henckel von Donnersmarck

③ *King Kong*, de Merian C. Cooper

Indice : Barcelone, Berlin, New York, Madrid.

① **Barcelone**
② **Berlin-Est**
③ **New York**

Quelle actrice, qui animera plus tard son *Club* sur TF1, fait sa première apparition au cinéma dans *L'Amour en fuite*, de François Truffaut ?

Dorothée !! Hé oui. La future présentatrice du *Club Dorothée*, qui fera découvrir tous les matins aux enfants des mangas tels que *Dragon Ball*, *Niki Larson*, *Olive et Tom* ou *Les Chevaliers du Zodiac* (et qui déclarera également détester les enfants...), a fait ses débuts auprès du célèbre réalisateur de la Nouvelle Vague.

les grandes sagas

① Quelle série de six films narrant les exploits des Jedis contre les forces du mal débute en 1977 ?

② Vous rappelez-vous le nom de chaque épisode, dans l'ordre ?

① Il s'agit, bien sûr, de *La Guerre des étoiles*, ou *Star Wars*.

② Dans l'ordre (non chronologique), nous avons :
La Menace fantôme (1999),
L'Attaque des clones (2002),
La Revanche des Siths (2005),
Un Nouvel Espoir (1977),
L'Empire contre-attaque (1980)
et enfin, *Le Retour du Jedi* (1983).
Tous les volets de la saga (sauf un) ont figuré dans le top 20 du box-office américain.

Quelle est la phobie de Truman Burbank (Jim Carrey) dans *The Truman Show* ?

Indice : il a peur des canards, des tasses à thé, des huîtres, de la foule, de faire partie d'un jeu de télé-réalité à son insu.

L'eau. Les réalisateurs du jeu ont simulé la mort de son père en mer lorsqu'il était enfant, afin qu'il n'ait jamais l'idée de fuir en bateau plus tard.

couples

① Qui est l'acteur « fétiche » de Tim Burton ?

② Pouvez-vous nommer trois films témoins de leur coopération ?

① Il s'agit de **Johnny Depp,**

② On le retrouve dans *Edward aux mains d'argent* (1990), *Ed Wood* (1994), *Sleepy Hollow* (1999), *Charlie et la chocolaterie* (2005), *Les Noces funèbres* (2005), et *Sweeney Todd, Le diabolique barbier de Fleet Street* (2007).

Quel film de Steven Spielberg, se voulant être une suite de *Peter Pan*, sort en 1991 ?

Hook ou la revanche du capitaine Crochet.
Robin Williams interprète un Peter Pan à l'âge adulte, de retour au Pays Imaginaire, face à Dustin Hoffman dans le rôle du capitaine Crochet.

citations cultes

Dans quels films peut-on entendre les répliques suivantes, et qui les prononce ?

① « Monumentale erreur ! »

② (Ne pas donner le nom des personnages dans un premier temps.)

Odile Deray : « Vous n'avez pas de bagages, Simon ?

Simon Jérémy : — Bah nan, on m'a dit d'venir, pas d'venir avec des bagages. Pourquoi ? Fallait qu'jen prende ?! »

① Jack Slater (Arnold Schwarzenegger) dans *Last Action Hero*, de John McTiernan.

② *La Cité de la peur*, des Nuls.

les films avec le mot...

Pourriez-vous trouver au moins trois films avec le mot... « peau », dans le titre ?
En voici quelques-uns :

Peau d'âne, de Jacques Demy, 1970.
Qui veut la peau de Roger Rabbit ?, de Robert Zemzckis, 1988.
La série des *Jason Bourne*, avec *La mémoire dans la peau*, de Doug liman, 2002.
La Mort dans la peau, de Paul Greengrass, 2004 ;
La Vengeance dans la peau, idem, 2007.
Dans la peau de John Malkovich, de Spike Jonze, 1999.
Dans la peau de Jacques Chirac, de Michel Royer et Karl Zéro, 2006.

CHERCHER L'ERREUR

Parmi ces titres de films incongrus, un seul n'a pas existé.
Saurez-vous retrouver lequel ?

Propositions :

① *Eh mec ! Elle est où ma caisse ?*

② *Je suis pas contre, mais je suis loin d'être pour*

③ *Mon curé chez les Thaïlandaises*

④ *Par où t'es rentré ? on t'a pas vu sortir*

Il s'agit du second, *Je suis pas contre, mais je suis loin d'être pour*.
Dans l'ordre, voici les réalisateurs et dates de parution des trois autres :
① **Danny Leiner, 2000**
③ **Robert Thomas, 1983**
④ **Philippe Clair, 1984 (avec Jerry Lewis)**

① Qui est l'acteur « fétiche » d'Arnaud Desplechin ? Et son actrice ?

② Pouvez-vous nommer trois films témoins de leur coopération ?

① **Mathieu Amalric et Emmanuelle Devos.**
② **Les deux acteurs apparaissent tous deux dans les mêmes films :**
La Sentinelle (1992),
Comment je me suis disputé... (ma vie sexuelle) (1996),
Rois et Reine (2004),
Un conte de Noël (2008),
Emmanuelle Devos joue également dans
Esther Kahn (2000).

films primés

Trois films sont parvenus à réunir onze oscars.
Saurez-vous en nommer un ? les trois ?

Ben-Hur, Titanic et **Le Seigneur des anneaux :
Le Retour du Roi.**

Quel film est le plus gros succès du box-office mondial ?

Indices : Il est premier du box-office français.
Il est premier du box-office américain.

Ça alors... *Titanic* ! Encore lui ! Avec... plus d'un million huit cents mille dollars de recette ! Mais, mais, mais... si l'on neutralise les effets de l'inflation, c'est *Autant en emporte le vent*, paru en 1939, qui passe en tête, profitant de ses nombreuses rediffusions.

animation

① Quel est le nom des sept nains dans *Blanche-Neige et les Sept Nains* ?

② À quel auteur les studios Disney ont-ils emprunté cette histoire ?

① **Simplet, Prof, Atchoum, Joyeux, Timide, Grincheux et Dormeur.**

② ***Blanche-Neige et les Sept nains**, paru en 1937, est le premier long-métrage d'animation des studios Disney. Il est adapté du conte des frères Grimm.*

Quel est le mot très compliqué inventé par Mary Poppins pour les moments où l'on ne sait pas quoi dire ?

Supercalifragilisticexpialidocious.
À vous de chanter

les nombres

Retrouvez les titres de films comportant des nombres, grâce aux indices suivants :

① En quelle année se déroule L'odyssée de l'espace ?

② Combien y a-t-il de dalmatiens ?

③ Quel est le code meurtre ?

Voici les titres des films en question :

① *2001 : l'odyssée de l'espace*, de Stanley Kubrick.

② *Les 101 Dalmatiens*, des studios Disney.

③ *187 code meurtre*, de Kevin Reynolds.

Pouvez-vous citer deux films muets
de Jean Renoir ?

Il y en a dix : *Catherine* (paru en 1924, en projection privée uniquement) ; *La Fille de l'eau* (1925) ; *Nana* (1926) ; *Sur un air de charleston* (1927) ; *Une vie sans joie* (1927, deuxième version de Catherine) ; *Marquitta* (1927) ; *Tire-au-flanc* (1928) ; *Le Tournoi dans la cité* (1928) ; *La Petite Marchande d'allumettes* (1928) ; *Le Bled* (1929).

où ça ?

Voici une série de films ; retrouvez dans quelle ville ils se déroulent.

Si vous ne trouvez pas directement, voici des propositions : Londres, Manchester, Paris, New York.

① *French Connection*, de William Friedkin
② *À bout de souffle*, de Jean-Luc Godard
③ *Match Point*, de Woody Allen

① **New York**
② **Paris**
③ **Londres**

Quel fut le premier rôle de Robert de Niro ?

Indice ① : Il s'agit d'un film français.

Indice ③ : Le réalisateur du film est également celui des *Enfants du Paradis*.

Cette question est quand même très très dure : celui qui trouve a gagné trois pastis.

De Niro tient un très petit rôle dans *Trois Chambres à Manhattan*, de Marcel Carné, en 1965. Pour son second rôle, Robert de Niro joue sous la direction de Brian de Palma, dans *Greetings* (qui est également le second film de Brian de Palma)

Quel est le pseudonyme du héros de *Matrix*, interprété par Keanu Reeves ?

Néo. On peut voir dans ce nom un anagramme de (The) One, l'Élu, en anglais, ou encore de Noé, personnage biblique chargé de sauver l'humanité de ses péchés. Monsieur Thomas A. Anderson était donc destiné à de grandes choses !

COMÉDIE

Dans quel film peut-on voir Renato Baldi
et son amant Albin (Michel Serrault)
tenir un cabaret de danseurs travestis ?

La Cage aux folles. **Pour ce rôle, Michel Serrault
obtint l'oscar du meilleur acteur en 1979.**

record

Quel est le film le plus cher de l'histoire du cinéma ?
À combien s'élève son budget ?
100 millions de dollars ? 258 millions ?
ou 430 millions ?

Spiderman 3, avec 258 millions de dollars de budget. Ce fut un investissement rentable, puisque le film engrangea plus de 890 millions de dollars. Avant lui, **Titanic** atteignait les 200 millions de dollars. Et, si l'on neutralise les effets de l'inflation, c'est **Cléopâtre** (1963), de Mankiewicz, qui passe devant, avec un budget qui s'élèverait aujourd'hui à plus de 270 millions de dollars.

Quel film français réalisé par Luc Besson en 1997 met en scène Bruce Willis, Gary Oldman, Mila Jovovich et Chris Tucker ?

Le Cinquième Élément. C'est le film le plus cher de l'histoire du cinéma français, avec 90 millions de dollars de budget.

citations cultes

Quel personnage (et quel acteur) prononce les paroles suivantes, et dans quel film ?

① « Moi j'ai eu une rupture ! J'ai vécu avec une femme, puis au bout de quarante-huit heures elle a décidé qu'on se séparait d'un commun accord, alors j'ai pas bien supporté ! J'ai même essayé de me suicider en avalant un tube de laxatif ! »

② « Si vous n'aimez pas la mer… Si vous n'aimez pas la montagne… Si vous n'aimez pas la ville : allez vous faire foutre ! »

① **Jean-Claude Dusse (interprété par Michel Blanc) dans la série *Les Bronzés*.**

② ***À bout de souffle*, de Jean-Luc Godard. Il s'agit du monologue que Jean-Paul Belmondo déclame en regardant le spectateur dans les yeux.**

grands classiques

Quel est le nom du premier film considéré comme parlant ?

Le Chanteur de jazz (1927), d'Alan Crosland. Il comptait alors 281 mots. Au départ, Al Jolson ne devait chanter que cinq chansons et entonner quelques thèmes religieux. Pour les producteurs, il fallait absolument éviter le langage parlé au milieu des morceaux. L'histoire y était racontée à l'aide de cartons et de sous-titres. Cependant, l'acteur se lança dans une improvisation qui n'était pas prévue dans le scénario. Cette intervention d'Al Jolson eut pour effet de dégeler le mythe du film sonore et permit aux autres de se lancer dans le « parlant ».

les films avec le mot...

Pourriez-vous trouver au moins trois films avec le mot... « rouge », dans le titre ?

En voici quelques-uns :
La Ligne rouge, de Terrence Mallick, 1999.
Dragon Rouge, de Brett Ratner, 2002.
L'Auberge rouge, de Claude Autant-Lara, 1951 (avec Fernandel).
Moulin Rouge, de Baz Luhrmann, 2001 (avec Nicole Kidman).
Planète rouge, d'Anthony Hoffman, 2000.
Rue rouge, de Fritz Lang, 1945.

Parmi tous ces titres de films incongrus, seul un n'a pas existé. Saurez-vous retrouver lequel ?

① *Le Sadique aux dents rouges*

② *Le Sauveur de la Terre*

③ *Liberté, égalité, choucroute*

④ *En Suède, il fait froid*

Il s'agit du dernier, *En Suède, il fait froid*. Dans l'ordre, les réalisateurs et dates de parution des trois autres :

① Jean-Louis Van Belle, 1970

② Roy Thomas, 1987

③ Jean Yanne, 1985 (avec Michel Serrault)

films primés

Avec quel film Orson Welles remporte-t-il la Palme d'or en 1952 ?

Il ne s'agit pas de Citizen Kane, mais d'*Othello*, ex aequo avec *Deux Sous d'espoir* de Renato Castellani.

Quel est le premier film parlant
de Fritz Lang, sorti en 1931 ?

M le Maudit. Le passage au parlant va
permettre d'immortaliser cette chanson
tragique de Peer Gyn, *Dans l'antre du roi de
la montagne*, que M entonne à chaque fois
qu'il commet un meurtre. C'est d'ailleurs
Fritz Lang qui la siffle, et non pas Peter Lorre
(l'acteur qui incarne M).

où ça ?

Voici une série de films ; retrouvez dans quelle ville ils se déroulent.

① *Le Dernier Métro*, de François Truffaut
② *La Corde*, d'Alfred Hitchcock
③ *Les 101 Dalmatiens*

Si vous ne trouvez pas directement, voici des propositions : Londres, Toulouse, Paris, New York.

① **Paris**
② **New York**
③ **Londres**

Quel est le premier rôle de Lino Ventura ?

Indice : Il s'agit d'un célèbre film français
de Jacques Becker, datant de 1954 ;
Lino Ventura y interprète Angelo, auprès de Jean Gabin
qui tient le rôle de Max.

Touchez pas au grisbi.

les grandes sagas

① Pouvez-vous citer, dans l'ordre,
les six interprètes de James Bond ?
② Quel écrivain a créé le personnage
de James Bond ?

① **Sean Connery, George Lazenby** (ce dernier n'apparaît que dans un seul opus de la série, *Au service secret de Sa Majesté*, en 1969), **Roger Moore, Timothy Dalton** (qui ne tourne que dans *Tuer n'est pas jouer*, en 1987, et dans *Permis de tuer*, en 1989), **Pierce Brosnan** et **Daniel Craig.**

② Le créateur de James Bond est **Ian Fleming.**

COMÉDIE

Dans quel film, première réalisation d'Alain Chabat, peut-on voir ce dernier dans le rôle d'un chien confié à Jean-Pierre Costa (Jean-Pierre Bacri) ?

Didier, pour lequel Alain Chabat reçut le César de la meilleure première œuvre en 1998.

record

Sur les 50 premiers films du box-office mondial, combien, d'après vous, sont américains ?

47 !!! Les trois autres ?
La trilogie du *Seigneur des Anneaux*, films néo-zélandais réalisés par Peter Jackson. Néo-zélandais, certes, mais dont le producteur, New Line, une fois encore, est américain. Finalement, score parfait de 50 sur 50...

derrière la caméra

Quel est le point commun entre ces trois films : *Dans la peau de John Malkovich*, *Confessions d'un homme dangereux*, et *Eternel Sunshine of the Spotless Mind* ?

Ils ont tous trois pour scénariste **Charlie Kaufman**. Ce dernier passe à la réalisation en 2008, et présente son film *Synecdoque, New York* au festival de Cannes.

citations cultes

Seriez-vous capable de vous souvenir
du début de la chanson interprétée par Charlot
dans *Les Temps modernes*, lors de son show
dans un cabaret, alors qu'il vient d'en perdre
les paroles qu'il avait inscrites sur ses manches ?

Se bella piu satore, je notre so catore,
Je notre qui cavore, je la qu', la qui, la quai !
Le spinash or le busho, cigaretto toto bello,
Ce rakish spagoletto, si la tu, la tu, la tua !...

Ce mélange entre le français, l'italien et l'anglais,
inintelligible, traduit bien le rapport complexe de Charlie
Chaplin au cinéma parlant ; il fait ici comme si son
personnage apprenait à parler.

les films avec le mot...

Pourriez-vous trouver au moins trois films avec le mot... « femme », dans le titre ?

En voici quelques-uns :
Femmes au bord de la crise de nerfs, de Pedro Almodovar, 1988.
8 femmes, de François Ozon, 2002.
Femme fatale, de Brian De Palma, 2002.
La Femme d'à côté, de François Truffaut, 1992.
La Femme infidèle, de Claude Chabrol, 1969.
La Femme spectacle, Claude Lelouch, 1963.
Femmes et voyous, de Yasujiro Ozu, 1933.

citations cultes

Quel personnage (et quel acteur) prononce les paroles suivantes, et dans quel film ?

① Un homme à la réceptionniste de son hôtel :

« Bonjour, j'ai réservé une chambre.

- Oui, et vous vous appelez ?

- Jean-Claude, et vous ?

- …

- Dussse avec un D, comme Dusse… »

② « Tu n'es vraiment pas très sympa. Mais le train de tes injures roule sur le rail de mon indifférence. Je préfère partir plutôt que d'entendre ça plutôt que d'être sourd. »

① **Jean-Claude Dusse (Michel Blanc) dans *Les Bronzés*.**
② ***Le Grand Détournement*, *La Classe américaine*.**

64

couples

① Qui est l'actrice « fétiche » de Woody Allen ?

② Pouvez-vous nommer trois films témoins de leur coopération ?

① **Woody Allen a longtemps eu pour égéries ses propres femmes. Ainsi, Diane Keaton joue dans sept de ses films. Mais ce n'est pas elle qui tournera le plus avec lui : c'est Mia Farrow.**

② **Entre 1982 et 1992, soit entre *Comédie érotique d'une nuit d'été* et *Maris et femmes*, elle apparaît dans tous les films de Woody Allen (soit 12), dont *La Rose pourpre du Caire* (1985), *Hannah et ses sœurs* (1986), *Radio Days* (1987), *Crimes et délits* (1989), *Alice* (1990)…**

animation

Dans le film d'animation *Shrek*, qui fait ?

① La voix française de l'ogre
② La voix américaine de l'âne
③ La voix américaine de princesse Fiona

① **Alain Chabat**
② **Eddie Murphy**
③ **Cameron Diaz.**

Qui saura chanter le premier couplet de la chanson
« Il en faut peu pour être heureux »,
dans *Le Livre de la jungle* ?
Un maximum de points sera accordé à celui qui imitera
le mieux la voix de Baloo.

Messieurs, dames, à vos cordes vocales. Voici :

Il en faut peu pour être heureux
Vraiment très peu pour être heureux
Il faut se satisfaire du nécessaire
Un peu d'eau fraîche et de verdure
Que nous prodigue la nature
Quelques rayons de miel et de soleil...

Le saviez-vous ?
**Les noms de Baloo, Bagheera et Hathi signifient
respectivement ours, panthère et éléphant en hindi.**

les nombres

Retrouvez les titres de films comportant
des nombres, grâce aux indices suivants :

① Combien y a-t-il de grammes ?
② À quel numéro du Quai des Orfèvres ?
③ Combien y a-t-il de marches ?

Voici les titres des films en question :

① *21 grammes*, d'Alejandro González Inárritu.
② *36 Quai des Orfèvres*, d'Olivier Marchal.
③ *Les 39 marches*, d'Alfred Hitchcock.

Quel est le premier long-métrage
tourné en couleurs ?

Le premier long-métrage tourné en couleurs date de
1935 ; il s'agit de *Becky Sharp*, de Rouben
Mamoulian. Il a été tourné en Technicolor trichrome.

où ça ?

Voici une série de films ; retrouvez dans quelle ville ils se déroulent.

Goodbye, Lenin !, de Wolfgang Becker
Moulin Rouge, de Baz Luhrmann
Delirious, de Tom DiCillo

Si vous ne trouvez pas directement, voici des propositions : Katmandou, Berlin, Paris, New York.

① **Berlin**
② **Paris**
③ **New York**

En 2008, on retrouve l'acteur Javier Bardem dans *No Country for old men*, des frères Coen. Dans quel film de Pedro Almodovar joue-t-il le rôle de David, en 1997 ?

En chair et en os.

les grandes sagas

① Quel célèbre personnage de 2,35 m, à la machoire d'acier, fait son apparition dans les *James Bond* *L'Espion qui m'aimait* et *Moonraker* ?

② Pour les spécialistes, pouvez-vous donner le nom de l'acteur qui l'interprète ?

① Il s'agit de **Jaws**, grand tueur à gages un peu simplet, qui finira par se lier d'amitié avec son ennemi juré, James Bond.

② Il est interprété par **Richard Kiel**.

Le saviez-vous ? La mâchoire d'acier du personnage était tellement douloureuse à porter pour l'acteur que l'enregistrement des scènes ne pouvait pas dépasser une minute.

COMÉDIE

Dans *Men in Black*, comment se nomme l'appareil de haute technologie avec lequel l'agent J (Will Smith) et l'agent K (Tommy Lee Jones) effacent la mémoire de certains témoins gênants ?

Le flashouilleur. Les deux hommes font en effet partie d'une agence ultrasecrète chargée de cacher la présence des extra-terrestres au reste de la population.

record

Quel film avec Kevin Costner, sorti en 1995,
est l'un des plus grands échecs financiers
de l'histoire du cinéma hollywoodien ?

Waterworld. **Pour un budget de 175 millions
de dollars, il ne fit que 88 millions de dollars
de recette.**

Parmi ces titres de films incongrus, un seul
n'a pas existé. Saurez-vous retrouver lequel ?

① *Tais-toi quand tu parles*

② *Les Survivants de la fin du monde*

③ *Loulou, la loutre loufoque*

④ *Les Démons du maïs 3*

Il s'agit du troisième, *Loulou, la loutre loufoque*.
Dans l'ordre, les réalisateurs et dates de parution des
trois autres :

① **Philippe Clair, 1981**

② **Jack Smight, 1977**

④ **James D.R. Hickox (avec Charlize Theron, dans sa
première apparition au cinéma)**

citations cultes

Quel personnage (et quel acteur) prononce les paroles suivantes, et dans quel film ?

① « Quelle est votre ambition dans la vie ?
– Devenir immortel et mourir. »

② « Jane est le stéréotype parfait de l'adolescente, paumée, mal dans sa peau, j'aimerais pouvoir lui dire que ça va s'arranger mais je ne veux pas lui mentir. »

① **Michel Poiccard** (Jean-Paul Belmondo) et **Patricia Franchini** (Jean Seberg), dans *À Bout de souffle*.
② **Lester** (Kevin Spacey) dans ***American Beauty***.

De quel film français, réalisé par Claude Zidi,
True Lies, de James Cameron et avec
Arnold Schwarzenegger, est-il inspiré ?

La Totale, avec Thierry Lhermitte, Miou-Miou
et Eddy Mitchell.

À quel célèbre réalisateur japonais doit-on *Les Sept Samouraïs* (1954) ?

Akira Kurosawa, qui, dans ce film, retrace la vie de paysans japonais à l'époque médiévale. Confrontés à des bandits de grands chemins, ils décident de recruter un groupe de samouraïs pour défendre leur village. Ce film est souvent considéré comme le premier film d'action moderne.

les films avec le mot...

Pourriez-vous trouver au moins trois films avec le mot... « vent », dans le titre ?

En voici quelques-uns :

Une poule dans le vent, de Yasujiro Ozu, 1948.

Autant en emporte le vent, de Victor Fleming, 1950.

Le Vent se lève, de Ken Loach, 2006.

La Couleur du vent, de Pierre Granier-Deferre, 1988 (avec Jean-Pierre Léaud).

Un vent de folie, de Browen Hughes, 1999 (avec Ben Affleck et Sandra Bullock)

Le Lion et le vent, de John Milius, 1975 (avec Sean Connery).

Parmi ces titres de films incongrus, un seul n'a pas existé. Saurez-vous retrouver lequel ?

① *Le Retour des tomates tueuses*

② *Les Tomates s'éclatent*

③ *Les Tomates voient rouge*

④ *La Tomate n'est qu'un légume.*

Il s'agit du second, ***Les Tomates s'éclatent***. Dans l'ordre, les réalisateurs et dates de parution des trois autres :

① John Bello, 1988 (avec George Clooney dans sa seconde apparition à l'écran !)

③ Andréa Bergala, 2006

④ Fabrice Marimoni, 2004

Qui est l'acteur « fétiche » de Cédric Klapisch ? Pouvez-vous nommer trois films témoins de leur coopération ?

Il s'agit de **Romain Duris**, que l'on retrouve, entre autres, dans *Le Péril jeune* (en 1994, dans son premier rôle au cinéma), *Chacun cherche son chat* (1995), *L'Auberge espagnole* (2002), *Les Poupées russes* (2005), et *Paris* (2008)...

films primés

Avec quel film les frères Coen remportent-ils la Palme d'or en 1991 ?

Indice : Ce n'est pas *Arizona Junior*, ni *The Big Lebowski*, ni *Fargo*.

Il s'agit de ***Barton Fink***, avec John Turturro dans le rôle (principal) d'un écrivain de théâtre réquisitionné par Hollywood et angoissé par la page blanche.

Quel film, sorti en 1991, avec Andie MacDowell
et Bruce Willis en gentleman cambrioleur
à la poursuite des créations de Léonard de Vinci,
fut un grand échec financier ?

Hudson Hawk, qui, pour un budget de 60 millions
de dollars, ne fit que 17 millions de dollars de
recette.

citations cultes

Quel personnage (et quel acteur) prononce les paroles suivantes, et dans quel film ?

« Il s'appelle Juste Leblanc.
- Ah bon, il n'a pas de prénom ?
- Je viens de vous le dire : Juste Leblanc... Leblanc, c'est son nom, et c'est Juste son prénom...
Votre prénom à vous, c'est François, c'est juste ?
Eh bien lui c'est pareil, c'est Juste. »

Le Dîner de cons, de Francis Veber ; ici, Pierre Brochant (Thierry Lhermitte) tente d'expliquer à François Pignon (Jacques Villeret), dit « le con », le nom de son ami.

En avant la musique !

Concours de chant : vous devez interpréter la chanson
« Prince Ali », dans *Aladdin*.
La mémoire des paroles ainsi que la qualité de voix
et la gestuelle seront les critères de notation.

**Pour ceux qui ne s'en souviennent plus du tout, voici
pour rafraîchir votre mémoire :**

Prince Ali, Sa Seigneurie,
Ali Ababoua.
À genoux, prosternez-vous,
Soyez ravis !
Pas de panique, on se calme !
Criez vive Ali, Salam !
Venez voir le plus beau spectacle d'Arabie…

À vous de jouer… de chanter.

où ça ?

Voici une série de films ; retrouvez dans quelle ville ils se déroulent.

① *Godzilla*, de Roland Emmerich
② *Oliver Twist*, de David Lean
③ *Lost in Translation*, de Sofia Coppola

Si vous ne trouvez pas directement, voici des propositions : Londres, Los Angeles, Tokyo, New York.

① **New York**
② **Londres**
③ **Tokyo**

Pouvez-vous citer les trois volets
de la *Trilogie de l'homme sans nom*,
réalisée par Sergio Leone entre 1964 et 1966 ?

Pour une poignée de dollars,
Et pour quelques dollars de plus,
et *Le Bon, la Brute et le Truand*.
Le personnage principal qui traverse la trilogie,
interprété par Clint Eastwood, n'y est presque jamais
nommé. Il est un personnage archétypique,
immédiatement reconnaissable, il n'a pas besoin de
nom. *Pour une poignée de dollars* est un remake du
film *Le Garde du corps* d'Akira Kurosawa. L'histoire,
presque point par point, est transposée du Japon
féodal dans un univers western.

COMÉDIE

Dans *Monty Python : Sacré Graal !*, qu'est-ce qui remplace les chevaux des chevaliers ?

Des noix de coco ! En effet, par manque d'argent, les Monty Python durent improviser, et c'est le bruit des noix de coco s'entrechoquant qui imite celui des sabots des chevaux. Comme quoi, un petit budget force la créativité et permet la mise au point de gags mémorables.

① Selon vous, quel réalisateur a le plus grand nombre de films mentionnés dans le top 100 de l'American Film Institute ?

② Sauriez-vous retrouver les films sélectionnés ?

① Il s'agit de **Steven Spielberg,**

② **Voici les cinq films répertoriés :** *Les Dents de la mer, Rencontre du troisième type, Les Aventuriers de l'arche perdue, E.T.* **et** *La Liste de Schindler.*

Steven Spielberg se déclara très honoré et demanda même à en retirer deux (*Les Aventuriers de l'arche perdue* **et** *Les Dents de la mer***) en échange de ses choix :** *Les Voyages de Sullivan***, de Preston Sturges, et** *Une nuit à l'opéra***, des Marx Brothers. Sympa, Spielberg.**

Dans quel film de Jean-Luc Godard peut-on voir Fritz Lang ?

Le Mépris. Fritz Lang, interprétant alors son propre rôle, est réalisateur d'*Ulysse*.

Qui a composé la musique d'innombrables films de Steven Spielberg ?

Il s'agit de John Williams (également compositeur de la musique de *Star Wars* et d'*Harry Potter*), que l'on retrouve pour *Les Dents de la mer*, *Indiana Jones*, *E.T.*, *Hook*, *Jurassic Park*, *La Liste de Schindler*, *Il faut sauver le soldat Ryan*... et beaucoup d'autres.

les films avec le mot...

Pourriez-vous trouver au moins trois films avec le mot... « vie », dans le titre ?

En voici quelques-uns :
La Vie des autres, de Florian Henckel von Donnersmarck, 2007.
Le Sens de la vie, des Monty Python, 1983.
Une vie de chien, de Charlie Chaplin, 1918.
La Vie aquatique, de Wes Anderson, 2005.
La Vie est belle, de Frank Capra, 1946, ou de Roberto Benigni, 1997.
Scènes de la vie conjugale, d'Ingmar Bergman, 1973.
La Vie est un long fleuve tranquille, d'Etienne Chatiliez, 1988.

CHERCHER L'ERREUR

Parmi ces titres de films incongrus, un seul n'a pas existé. Saurez-vous retrouver lequel ?

① *Steak*

② *Ceci n'est pas un titre de film*

③ *Deux heures moins le quart avant Jésus-Christ*

④ *La Princesse aux huîtres*

Il s'agit de *Ceci n'est pas un titre de film*.
Les réalisateurs et dates de parution
des trois autres :
① Quentin Dupieux (*alias* Mr. Oizo), 2007
(avec Éric et Ramzy)
③ Jean Yanne, 1982
(avec Coluche et Michel Serrault)
④ Ernst Lubitsch, 1919.

couples

Qui est l'actrice « fétiche » de Pedro Almodovar ?
Et son acteur ? Pouvez-vous nommer trois films
témoins de leur coopération ?

Victoria Abril et **Penélope Cruz** ont une grande
importance dans l'œuvre du cinéaste ; mais c'est
assurément **Carmen Maura** qui est la plus présente.
Voici les films qu'elle tourne avec Almodovar :
Pepi, Luci, Bom et autres filles du quartier (1980),
Dans les ténèbres (1983),
Qu'est-ce que j'ai fait pour mériter ça ? (1984),
Matador (1986),
La Loi du désir (1987),
Femmes au bord de la crise de nerfs (1988),
Volver (2006).

films primés

① Avec quel film Quentin Tarantino remporte-t-il la Palme d'or ?

② Quelle est le nom de la marque de cigarettes créée par Tarantino pour ses films ?

① **Pulp Fiction** remporte la Palme d'or au festival de Cannes en 1994, notamment grâce à Clint Eastwood.

② La marque de cigarettes est **Red Apples**.

Qui est la personnalité vivante la plus oscarisée ?

Indice 1 : Il s'agit d'un compositeur de musiques de films...

Indice 2 : ... qui travaille beaucoup avec Spielberg.

Il s'agit de **John Williams.** Il a été nommé quarante-cinq fois aux Oscars et en a remporté cinq (pour *Un violon sur le toit, Les Dents de la mer, La Guerre des étoiles, E.T. l'extra-terrestre* et *La Liste de Schindler*).

Quel personnage (et quel acteur) prononce les paroles suivantes, et dans quel film ?

① « C'est la majorité !

— C'est la majorité ! Laquelle d'abord ? Celle qui croyait que la terre était plate ? Celle qui veut rétablir la peine de mort ?... Celle qui se met une plume dans le cul parce que c'est la mode ? Laquelle exactement ? »

② « C'est l'angoisse du temps qui passe qui nous fait tant parler du temps qu'il fait. »

① **Jacques (Jean-Pierre Bacri), dans *Cuisine et dépendances*.**
② **Nino Quicampoix (Mathieu Kassovitz) dans *Le fabuleux déstin d'Amélie Poulain*.**

films primés

Une seule femme a remporté la Palme d'or
dans toute l'histoire du festival de Cannes.
Qui est-elle ?

Indice : Elle est récompensée pour *La Leçon de piano*.

C'est Jane Campion, en 1993.

Voici une série de films ; retrouvez dans quelle ville ils se déroulent.

① *Spider-Man*, de Sam Raimi
② *V pour Vendetta*, de James McTeigue
③ *The Blues Brothers*, de John Landis

Si vous ne trouvez pas directement, voici des propositions : Londres, Denver, Chicago, New York.

① **New York**
② **Londres**
③ **Chicago**

films primés

Personne n'a jamais encore remporté trois Palmes d'or.
Mais six réalisateurs ont été récompensés à deux
reprises. Saurez-vous trouver lesquels ?

Ce sont :
Francis Ford Coppola (pour *Conversation secrète*,
en 1974, et *Apocalypse Now*, en 1979),
Bille August (pour *Pelle le conquérant*, en 1987, et
Les Meilleures intentions, en 1992),
Emir Kusturica (pour *Papa est en voyage
d'affaires*, en 1985, et *Underground*, en 1995),
Shohei Imamura (pour *La Ballade de Narayama*, en
1983, et *L'Anguille*, en 1997),
Alf Sjöberg (pour *Tourments*, en 1946, et
Mademoiselle Julie, en 1951),
et **les frères Dardenne** (pour *Rosetta*, en 1999, et
L'Enfant, en 2005).

Pouvez-vous citer les quatre grands réalisateurs de la saga *Alien* ?

Dans l'ordre, nous avons Ridley Scott, James Cameron, David Fincher et Jean-Pierre Jeunet.
Une bonne sélection.

COMÉDIE

Voici trois titres québécois de films
où apparaît l'acteur Jim Carrey ;
saurez-vous retrouver les titres français ?

① *La Cloche et l'idiot*
② *Le Gars du câble*
③ *Moi, moi-même et Irène*

① **Dumb & Dumber**
② **Disjoncté**
③ **Fous d'Irène**

Quel film de Charlie Chaplin, sorti en 1936, met en scène un Charlot devenu fou devant le travail à la chaîne ?

Les Temps modernes. **Lors d'un concours de sosies organisé à Monaco, Charlie Chaplin se présenta incognito et n'arriva que troisième !**

Avec qui Arnaud Desplechin a-t-il coécrit
les scénarios de *Comment je me suis disputé...
(ma vie sexuelle)*, *Esther Kahn*,
et *Un conte de Noël* ?

Avec **Emmanuel Bourdieu**, le fils du sociologue
Pierre Bourdieu.

citations cultes

Quel personnage (et quel acteur) prononce les paroles suivantes, et dans quel film ?

① « C'est l'histoire d'un homme qui tombe d'un immeuble de cinquante étages. Le mec, au fur et à mesure de sa chute, se répète sans cesse pour se rassurer : "Jusqu'ici tout va bien, jusqu'ici tout va bien, jusqu'ici tout va bien. Mais le plus dur, c'est pas la chute, c'est l'atterrissage". »

② « Wakatepe baboune ! »

① *La Haine*, de Mathieu Kassovitz (1995). Cette citation de Hubert, jeune boxer, ouvre et clôt le film.
② Mimi-Siku, dans *Un Indien dans la ville*.

acteurs

Quel grand acteur s'illustre dans les films
suivants : *Easy Rider*, de Dennis Hopper (1969),
Chinatown, de Roman Polanski (1974),
Vol au-dessus d'un nid de coucou,
de Milos Forman (1975),
Shining, de Stanley Kubrick (1980),
et *Batman* (1989) ?

Il s'agit, bien sûr, de **Jack Nicholson**. Il remporta
l'oscar du meilleur acteur pour *Vol au-dessus d'un nid
de coucou*.

Qui est l'acteur « fétiche » de François Truffaut ? Pouvez-vous nommer trois films témoins de leur coopération ?

Jean-Pierre Léaud. Ils tournèrent six films ensemble : *Les Quatre Cents Coups, Baisers volés, Domicile conjugal, Les Deux Anglaises et le continent, La Nuit américaine* et *L'Amour en fuite.*

CHERCHER L'ERREUR

Parmi ces titres de films incongrus, seul un n'a pas existé. Saurez-vous retrouver lequel ?

① *La Guerre des pigeons*
② *En voiture Simone*
③ *Mon poisson rouge a des croûtes*
④ *La Femme qui rétrécit*

Il s'agit de l'avant-dernier, ***Mon poisson rouge a des croûtes***. Dans l'ordre, les réalisateurs et dates de parution des trois autres :

① **Philippe Baudet, 1999**
② **Roy Boulting, 1973**
④ **Joël Schumacher, 1981**

Quel célèbre acteur indien retrouve-t-on dans les films : *Kuch Kuch Hota Hai* (1998), *Devdas* (2003), *La famille indienne* (2004), *New York Masala* (2005) et *Veer-Zaara* (2006) ?

Shah Rukh Khan est la super-star de Bollywood. Il a reçu le Best Indian Citizen Award en 1997. Sa popularité dépasse le sous-continent indien. D'ailleurs la plupart des films de Bollywood qui sortent sur les écrans français ont Shah Rukh Khan en tête d'affiche.

films primés

Posez d'abord la question sans indice...

Quel est le seul film espagnol à avoir reçu la Palme d'or à Cannes ?

Indice : Luis Buñuel.

C'est *Viridiana*, de Luis Buñuel, en 1961.

Huo shao hong lian si est connu pour être le film le plus long jamais produit.
Selon vous, quelle durée atteint-il ?
7 heures ? 17 heures ? 27 heures ?

27 heures !

Rassurez-vous, il ne fut jamais montré dans sa totalité, mais divisé en dix-huit parties diffusées entre 1928 et 1931. Cependant, ce n'est pas le film le plus long jamais fait : le film expérimental *The Cure for Insomnia* (Le Remède contre l'insomnie !) fut diffusé à l'école de l'art de Chicago en 1987, entre le 31 janvier et le... 3 février ; il dure 87 heures... expérimental, oui... c'est le cas de le dire.

musique

① Quelle « phrase magnifique » de Timon et Pumbaa dans *Le Roi Lion* signifie : « Que tu vivras ta vie, sans aucun souci… philosophie » ?

② Question subsidiaire : comment se nomment le père et l'oncle de Simba ? et le vieux sage ?

① **« Hakuna Matata »** !
Le saviez-vous ? Cette phrase est réellement inspirée du swahili, bien qu'elle soit grammaticalement incorrecte ; littéralement, elle veut dire : « Des ennuis n'ai-je pas. »

② Le père de Simba (« lion » en swahili) est Mufasa, du nom du dernier roi du Kenya ; son oncle est Scar (« cicatrice » en anglais) ; et le vieux sage est Rafiki, du mot swahili signifiant l'« ami ». *Le Roi Lion* s'inspire en très grande partie du *Roi Léo* d'Osamu Tezuka.

Retrouvez les titres de films comportant
des nombres, grâce aux indices suivants :

① Combien y a-t-il de fantastiques ?

② Combien y a-t-il de mois, de semaines,
de jours ?

③ À quel âge est-il toujours puceau ?

Voici les titres des films en question :
① *Les 4 Fantastiques*, de Tim Story.
② *4 mois, 3 semaines, 2 jours*, de Cristian Munglu.
③ *40 ans, toujours puceau*, de Judd Apatow.

Quel grand réalisateur est à l'origine des films suivants : *Le Lys de Brooklyn*, *Un tramway nommé Désir*, *Sur les quais*, *À l'est d'Eden* et *Le Dernier Nabab* ?

Elia Kazan.

Voici une série de films ; retrouvez dans quelle ville ils se déroulent.

① *Taxi Driver*, de Martin Scorsese

② *Quatre mariages et un enterrement*, de Mike Newell

③ *In the Mood for Love*, de Wong Kar-Wai

Si vous ne trouvez pas directement, voici des propositions : Londres, Pékin, Hong Kong, New York.

① **New York**
② **Londres**
③ **Hong Kong**

COMÉDIE

Pouvez-vous donner les noms de scène
des Marx Brothers ? Attention, il n'y a en pas que
trois. Un quatrième a tourné cinq films avec la
bande principale. Et un cinquième
a quitté les planches avant l'aventure filmique.

Le cinquième, c'est **Gummo** Marx.
Le quatrième, **Zeppo** Marx. Et les trois autres :
Groucho, Harpo et **Chico**.

Gandhi (1982), de Richard Attenborough, est le film qui réunit le plus grand nombre de figurants pour la scène des funérailles de Gandhi. Combien furent-ils, sachant que *Ben-Hur* comporte jusqu'à 150 000 figurants pour sa célèbre scène de course de chars ? 200 000 ? 300 000 ? 500 000 ?

300 000. Onze équipes de caméras ont dû tourner, produisant ainsi plus de pellicule que le film entier, pour cette scène qui ne dure finalement que cent vingt-cinq secondes.

où ça ?

Voici une série de films ; retrouvez dans quelle ville ils se déroulent.

① *Annie Hall*, de Woody Allen

② *Scarface*, d'Howard Hawks

③ *Ocean's Eleven*, de Steven Soderbergh

Si vous ne trouvez pas directement, voici des propositions : Las Vegas, Washington, Chicago, New York.

① **New York**
① **Chicago**
③ **Las Vegas**

grands classiques

Quel film de Marcel Carné présente, dans le Paris de 1828, le mime Baptiste Debureau (Jean-Louis Barrault), amoureux de Garance (Arletty), sur un texte de Jacques Prévert ?

Les Enfants du paradis, **avec Maria Casarès et Pierre Brasseur.**

les films avec le mot...

Pourriez-vous trouver au moins trois films avec le mot... « jardin », dans le titre ?

En voici quelques-uns :

Minuit dans le jardin du bien et du mal, de Clint Eastwood, 1998.

Jardins de pierre, de Francis Ford Coppola, 1988.

Effroyables jardins, de Jean Becker, 2003.

La Mort en ce jardin, de Luis Buñuel, 1956.

Le Jardin du plaisir, d'Alfred Hitchcock, 1925.

Tournage dans un jardin anglais, de Michael Winterbottom, 2006.

CHERCHER L'ERREUR

Parmi ces titres de films incongrus, un seul n'a pas existé. Saurez-vous retrouver lequel ?

① *Rendez-moi ma peau*

② *Passe-moi ta femme*

③ *Donnez-moi vos coudes*

④ *Les Oreilles entre les dents*

Il s'agit de l'avant-dernier, ***Donnez-moi vos coudes***.

Voici les réalisateurs et dates de parution des trois autres :

① **Patrick Schulmann, 1980**

② **Victor Heeman, 1921**

④ **Patrick Schulmann à nouveau, en 1987 (décidément, cet homme a le sens du titre !)**

record

Quel acteur a obtenu le plus gros cachet
pour un film ?
À combien s'élevait-il ?
30 millions de dollars ? 60 millions ? 100 millions ?

Tom Cruise toucha 75 millions de dollars pour *Mission Impossible*. Mais il était également producteur du film.

Ainsi, c'est **Jack Nicholson** qui remporte la palme, avec 60 millions de dollars, en tant que simple acteur, pour son rôle du Joker dans *Batman*, grâce à son pourcentage sur les produits dérivés.

Hors intéressements sur recettes, c'est **Arnold Schwarzenegger** qui détient le record du plus gros cachet reçu par un acteur, pour son rôle dans *Terminator 3*, avec 30 millions de dollars.

Quel groupe a composé en grande partie la bande son de *La Fièvre du samedi soir* ?
Quel est le titre mythique du film ?

Ce sont les **Bee Gees**, et notamment le titre « **Stayin' Alive** ». Prenez votre voix la plus aiguë possible et poussez quatre fois de suite un petit cri, comme si vous veniez de vous cogner le pied dans la commode. Vous y êtes.

les nombres

Retrouvez les titres de films comportant
des nombres, grâce aux indices suivants :

① Combien de minutes pour vivre ?
② Combien de secondes chrono ?
③ Combien de femmes ?

Voici les titres des films en question :
① **58 minutes pour vivre**, de Renny Harlin.
② **60 secondes chrono**, de Dominic Sena.
③ **8 femmes**, de François Ozon.

grands classiques

Comment se nomme la célèbre héroïne
d'*Autant en emporte le vent* ?
Qui est son interprète ?

Scarlett O'Hara, jouée par Vivien Leigh.

COMÉDIE

Quel est le nom du célèbre
« détective pour chiens et chats »
interprété par Jim Carrey ?

Ace Ventura.

Quel acteur a joué dans le plus grand nombre de premiers rôles ?

Combien, d'après vous ? 35 films ? 87 ? 153 ? 312 ? 524 ?

Il ne faut pas exagérer : la réponse est **153** (c'est déjà pas mal !). Et il s'agit de... **John Wayne**, cette grande figure du western aux cinquante ans de carrière. Souvenez-vous...

Rio Bravo, L'Homme qui tua Liberty Valance, La Chevauchée fantastique...

derrière la caméra

Dans quel film de Michelangelo Antonioni (1975) retrouve-t-on David Locke (Jack Nicholson) qui, pour pimenter sa vie en Afrique, prend l'identité d'un mort découvert dans un hôtel et va aux rendez-vous prévus par ce dernier, avant de découvrir qu'il s'agit d'un espion au service de terroristes ?

C'est *Profession : Reporter*. Peut-être vous souvenez-vous de la dernière scène notamment, plan séquence de sept minutes ! Pour la réaliser, des tubes très légers ont été utilisés, qui permettent à la caméra de passer à travers les barreaux des fenêtres.

Quel célèbre couple d'acteurs retrouve-t-on dans *La Joyeuse Divorcée, Roberta, En suivant la flotte, Entrons dans la danse* ?

Ginger Rogers et **Fred Astaire**. Leur collaboration a duré de 1934 à 1949, de *Carioca* à *The Barkleys of Broadway* (*Entrons dans la danse*).

acteurs

Quel acteur de seconds rôles peut-on voir dans *Reservoir Dogs*, de Quentin Tarantino, *Miller's Crossing*, *Barton Fink*, *The Big Lebowski* et *Fargo*, des frères Coen, *Desperado*, de Robert Rodriguez, et *Coffe and Cigarettes*, de Jim Jarmusch ?

Indice : John Turturro, John Goodman, John John, Steve Buscemi, Bill Murray.

C'est **Steve Buscemi**, cet acteur au visage si atypique. Nous avons ici les quatre réalisateurs avec lesquels il travaille le plus, et nous pourrions rajouter Tom DiCillo.

citations cultes

Quel personnage (et quel acteur) prononce les paroles suivantes, et dans quel film ?

① « Ta mère, elle boit d'la Kro. »

② « Il n'y a que deux sortes d'hommes seulement qui vont rester sur cette plage : ceux qui ont déjà été tués, et ceux qui vont se faire tuer... »

③ « T'aimes les omelettes ? Tiens, j'te casse les œufs. »

① Saïd (Saïd Taghmaoui) dans *La Haine*.
② Brigadier Général Norman Cota (Robert Mitchum), dans *Le Jour le plus long*.
③ Jack Slater (Arnold Schwarzenegger) dans *Last Action Hero*, alors qu'il explose les parties intimes d'un homme qui n'est sûrement pas son ami le plus proche.

CHERCHER L'ERREUR

Parmi ces titres de films incongrus, un seul n'a pas existé.
Saurez-vous retrouver lequel ?

① *Mouche-toi avant de rigoler*

② *Pleure pas la bouche pleine*

③ *Les Doigts dans la tête*

④ *Le Poisson qui fume*

Il s'agit du premier, ***Mouche-toi avant de rigoler***.
Voici les réalisateurs et dates de parution des trois
autres :

② **Pascal Thomas, 1973**

③ **Jacques Doillon, 1974**

④ **Roman Chalbaud, 1977**

Selon-vous, quel film détient le record
du plus grand nombre de véhicules détruits ?

Indice : On y retrouve John Belushi,
Dan Aykroyd, Aretha Franklin, James Brown,
Ray Charles, John Lee Hooker...

À combien s'élève la casse ?
15 voitures ? 37 ? 73 ?

C'est *The Blues Brothers*, sorti en 1980. Pour les scènes (nombreuses) de carambolages, le film utilisa en effet plus de soixante voitures de police et treize Bluesmobiles, ce qui nous mène donc à soixante-treize voitures détruites.

musique

Comment se nomment les deux gangs rivaux dans *West Side Story* ?

Les Jets (Américains de la première génération, fils d'immigrés irlandais ou polonais) et **les Sharks** (d'origine portoricaine).

grands classiques

Pouvez-vous citer trois films tournés en noir et blanc après 1980 ?

À la fin des années 1960, la couleur s'impose au cinéma. Néanmoins, certains films sont encore tournés en noir et blanc, par choix esthétique.

En voici quelques-uns :
Elephant Man (1980), de David Lynch ;
Raging Bull (1981), de Martin Scorsese ;
Rusty James (1984), de Francis Ford Coppola ;
La Liste de Schindler (1993), de Steven Spielberg ;
La Haine (1995), de Mathieu Kassovitz ;
The Barber (2001), des frères Coen ;
Angel-A (2005), de Luc Besson ;
Good Night, and Good Luck (2005), de George Clooney.

où ça ?

Voici une série de films ; retrouvez dans quelle ville ils se déroulent.

① *Heat*, de Michael Mann
② *Sueurs froides*, d'Alfred Hitchcock
③ *OSS 117*, de Michel Hazanavicius

Si vous ne trouvez pas directement, voici des propositions :

Los Angeles, San Francisco, Le Caire, Mexico.

① **Los Angeles**
② **San Francisco**
③ **Le Caire**

Quel fut le premier rôle de Natalie Portman ?

Indice : On y mange des frites et des moules.

C'est dans *Léon*, de Luc Besson, que l'actrice fait ses débuts alors qu'elle n'a encore que douze ans ! Elle joue le personnage de Mathilda qui, pour venger son petit frère assassiné, va proposer ses services domestiques à un tueur en série, Léon (Jean Reno), alors contraint de lui apprendre les bases du « métier ».

les grandes sagas

Quelle trilogie réalisée par Wes Craven fut traduite par *Frissons !* par nos chers amis québecois ?

Indice : Le tueur porte un masque inspiré du tableau d'Edvard Munch, *Le Cri*.

C'est la série des *Scream*
(« cri », en anglais).
La traduction norvégienne vous intéresse également ? La voici : *Skrik*.

COMÉDIE

Le duo Bourvil-de Funès est réuni en 1966 dans *La Grande Vadrouille*, qui sera durant trente ans le plus grand succès en France. Les acteurs avaient déjà été réunis deux ans auparavant. Dans quel film ?

Le Corniaud, également réalisé par Gérard Oury, sur le tournage duquel fut déjà pensée *La Grande Vadrouille*.

Quel est le titre de film le plus court ?

Deux films qui n'ont qu'une seule lettre : **Z**, de Costa-Gavras (1968), avec Yves Montand, et **K** (1997), d'Alexandre Arcady, avec Patrick Bruel.

De quel film est tiré cette réplique :
« Mon père lui a fait une offre qu'il ne pouvait pas refuser » ?

Le Parrain (*The Godfather*), de Francis Ford Coppola. Michael Corleone (Al Pacino) parle ici de son père, don Vito Corleone (Marlon Brando), le chef de la mafia sicilienne à New York. Quelle est cette offre ? Tout simplement, la vie des concurrents de don Corleone.

Le saviez-vous ? Pour se fondre dans la peau de son personnage et créer cette façon si particulière qu'il a de parler dans le film, Marlon Brando se mettait des mouchoirs en papier dans la bouche.

histoire du cinéma

Qui interprète le rôle principal
du *Ben-Hur* de William Wyler,
sorti en 1959 ?

Charlton Heston.

Vous souvenez-vous de la mythique course de chars
qui dure une demi-heure ? Elle nécessita quatre mois
de préparation et trois mois de tournage ! On
construisit un véritable stade, avec des pistes de
mille mètres et quatre statues de trente mètres !
Jusqu'à 15 000 figurants furent requis !
Beaucoup de travail donc, derrière les onze Oscars
que remporte le film !

Parmi ces titres de films incongrus, un seul n'a pas existé. Saurez-vous retrouver lequel ?

Propositions :

① *La Malédiction des hommes-chats*

② *Qui vole un œuf... n'a pas de quoi se faire une omelette*

③ *Merci mon chien*

④ *Le Mangeur de citrouilles*

Il s'agit du second, *Qui vole un œuf... n'a pas de quoi se faire une omelette*. Voici les réalisateurs et dates de parution des trois autres :

① **Robert Wise, 1944**

③ **Philippe Galland, 1999**

④ **Francesca Archibugi, 1994**

couples

Quel couple d'acteurs célèbre
retrouve-t-on dans *Le Port de l'angoisse*,
Le Grand Sommeil, *Les Passagers de la nuit*,
Key Largo ?

Lauren Bacall et Humphrey Bogart,
mariés en 1945.

Quel pays a remporté le plus de Palmes d'or au festival de Cannes ?

**Sans surprise, ce sont les États-Unis, avec seize Palmes.
La France arrive seconde, avec dix Palmes.**

Quelle actrice a remporté le plus de Césars ?

Indice : Romy Schneider, Sabine Azéma,
Catherine Deneuve, Nathalie Baye,
Isabelle Adjani.

C'est **Isabelle Adjani**, qui fut récompensée quatre fois (pour *Possession* – 1982 –, *L'Été meurtrier* – 1984 –, *Camille Claudel* – 1989 –, *La Reine Margot* – 1995 –.
Les autres actrices le furent deux fois.

Dans quel film Clark Gable et Marilyn Monroe font-ils leur dernière apparition respective ?

Les Désaxés, en 1961.

où ça ?

Question de rapidité. Voici une série de films ; retrouvez dans quelle ville ils se déroulent.

① *Madame Doubtfire*, de Chris Colombus
② *Pulp Fiction*, de Quentin Tarantino
③ *Le Déclin de l'empire américain*, de Denys Arcand

Si vous ne trouvez pas directement, voici des propositions : Los Angeles, San Francisco, Montréal, Québec.

① **San Francisco**
② **Los Angeles**
③ **Montréal**

grands classiques

Quel grand acteur comique français peut-on voir dans le premier film parlant de Jean Renoir, On purge bébé (1931) ?

Indice : On retrouve cet acteur dans *La Vache et le prisonnier* ou encore *Ali Baba et les quarante voleurs*.

***Fernandel*. Le film fut tourné en une semaine et monté en une semaine ! Renoir voulut montrer aux producteurs qu'il savait travailler vite (en effet !), afin qu'ils financent plus facilement son projet suivant, qui lui tenait beaucoup plus à cœur : *La Chienne*.**

les grandes sagas

Comment s'appellent les adversaires successifs de Rocky (interprété par Silvester Stallone) ?

Rocky affronte **Apollo Creed** dans les deux premiers volets de la série, avant de s'allier à lui pour préparer son combat contre...
Clubber Lang, dans *Rocky III : l'œil du tigre*.
Le troisième adversaire de Rocky est **Ivan Drago** dans *Rocky IV*, la terrible machine russe qui a tué Apollo Creed. Dans *Rocky V*, Rocky devient l'entraîneur de **Tommy Gunn**, qu'il affronte à la fin.
Enfin, dans *Rocky VI*, Rocky retrouve le champion moderne Mason Dixon.

COMÉDIE

① Dans quel film peut-on voir Louis de Funès,
Jean Carmet et Jacques Villeret réunis
dans le hameau Les Gourdiflots ?

② Comment se nomme la planète extraterrestre
de Jacques Villeret ?

① *La Soupe aux choux*.
② La planète est **Oxo**, dite **La Denrée**.

Quel est le titre mythique de *Titanic*,
interprété par Céline Dion ?

« My Heart Will Go On ».
À vous !
« Near, far, wherever you are… »

Selon vous, combien de costumes Madonna a-t-elle revêtus pour son rôle d'Eva Peron dans *Evita* ?

Indice : 28, 52, 85.

85 ! Sans compter les 39 chapeaux et 45 paires de chaussures ! Cela fait d'elle l'actrice la plus « costumée » pour un seul et même rôle.

couples

① Quel acteur retrouve-t-on dans de nombreux seconds rôles des films de Spike Lee ?

② Pouvez-vous citer quelques-uns de ces films ?

① **John Turturro.**

② **Il apparaît en effet dans**
Do the Right Thing, *Mo' Better Blues*, *Jungle Fever*, *Girl 6*, *He Got Game*, *Summer of Sam*, *She Hate Me* **et d'autres encore.**

Pour quel film David Lynch remporte-t-il
la Palme d'or au festival de Cannes en 1990 ?

Pour *Sailor et Lula*.

musique

Quel est le célèbre tube de *Flashdance* ?

« What a Feeling », de Irène Cara.

grands classiques

Dans quel film de Federico Fellini,
sorti en 1953, retrouve-t-on
les cinq « inutiles », Moraldo, Alberto,
Fausto, Leopoldo et Riccardo ?

I Vitelloni. La traduction littérale du titre italien est
« Les petits veaux », sous-titré « Les Inutiles ». C'est une
façon ironique de nommer la bande d'adolescents sans
but que sont les héros du film.

L'expression *i vitelloni* est passée dans le langage
courant en italien : les *vitelloni* sont des gens feignants,
excessivement attirés par les femmes et l'argent.

citations cultes

Quel personnage (et quel acteur) prononce les paroles suivantes, et dans quel film ?

① « J'crois que j'vais conclure là ! »

② « Petit tu es doué, très doué ; mais tant que je serai dans le métier, tu ne seras jamais que le second ! »

③ « La différence entre toi et moi, c'est que moi... j'ai la classe. »

① **Jean-Claude Dusse (interprété par Michel Blanc)** dans la série *Les Bronzés*.

② **Stanley Ipkiss (Jim Carrey)** *The Mask*.

③ **Agent J (Will Smith)** *Men in Black*.

Comment se nomme la mère du futur chef
de la résistance humaine contre les machines
que Terminator, envoyé du futur, est censé supprimer ?

Sarah Connor.

**Après *Conan le Barbare* (1982), c'est *Terminator*
(1984) qui fait d'Arnold Schwarzenegger une
véritable star.**

COMÉDIE

Quelle comédie d'Howard Hawks sortie en 1938
met en scène le Dr David Huxley (Cary Grant)
à la poursuite d'un os de dinosaure,
et Susan Vance (Katharine Hepburn)
sur les traces d'une panthère ?

L'Impossible Monsieur Bébé, une des
comédies les plus loufoques de l'époque.

Selon vous, quel film possède le plus gros budget maquillage de tous les temps ?

Indice : On y voit des singes.

La Planète des singes, de Franklin J. Schaffner (1968). Pour transformer les acteurs en primates crédibles, c'est en effet un **million de dollars** qui furent nécessaires au maquillage (avec l'inflation, cette somme monterait à 5 millions de dollars actuellement), soit **17 % du budget total**.

citations cultes

Quel personnage (et quel acteur) prononce
les paroles suivantes, et dans quel film ?

① « De tous les bars de toutes les villes du monde,
il a fallu qu'elle entre dans le mien. »

② « Il nous restera toujours Paris. »

Toutes deux sont tirées du film *Casablanca* (1942),
de Michael Curtiz. Ces paroles illustrent la relation
si particulière entre Rick Blaine (Humphrey Bogart)
et lisa Lund (Ingrid Bergman), qui se retrouvent
à Casablanca durant la Seconde Guerre mondiale,
après une grande histoire d'amour à Paris.

Le saviez-vous ? *Casablanca* est second (derrière
Citizen Kane) sur la liste des cent meilleurs films
recensés par l'American Film Institute.

Dans quel court-métrage de Luis Buñu
peut-on voir ce dernier trancher
un œil au rasoir au tout début du film ?

Un chien andalou. Cette scène avertit le spectateur qu'il doit changer son regard pour comprendre ce film (écrit par Luis Buñuel et Salvador Dali en six jours sur le mode du cadavre exquis) qui, en effet, est surréaliste.

Pourriez-vous trouver au moins trois films avec le mot... « père », dans le titre ?

Mémoire de nos pères, de Clint Eastwood, 2006.
Il était un père, de Yasujiro Ozu, 1942.
Mon père, ce héros, de Gérard Lauzier, 1991.
Mon père avait raison, de Sacha Guitry, 1936.
Mon beau-père et moi, de Jay Roach, 2001
(avec Ben Stiller).
La Gloire de mon père, de Yves Robert, 1990.
Le Père Noël est une ordure, de Jean-Marie Poirié, 1982.

couples

Nous vous donnons un membre d'un couple célèbre du cinéma, retrouvez l'autre.

① **Bonnie and...**
② **Laurel et...**
③ **La Belle et...**
④ **Lilo et...**

① **Clyde**
② **Hardy**
③ **La Bête ... ou le Clochard**
④ **Stitch**

acteurs

Quel grand acteur italien retrouve-t-on dans
Les Nuits blanches, de Luchino Visconti (1957),
La Nuit, de Michelangelo Antonioni (1961),
Huit et demi, de Federico Fellini (1963),
et *La Grande Bouffe*, de Marco Ferreri (1973) ?

C'est Marcello Vincenzo Domenico Mastroianni,
ou **Marcello Mastroianni**, également héros
de *La Dolce Vita*.

films primés

Quel film retraçant l'histoire de deux adolescents acteurs d'une fusillade dans leur lycée remporte la Palme d'or au festival de Cannes en 2003 ? Qui en est le réalisateur ?

Il s'agit d'*Elephant*, de Gus Van Sant. Ce film est inspiré des événements de 1999 au lycée américain Columbine (lycée qui sera également l'objet du film de Michael Moore : *Bowling for Columbine* en 2002).

Question difficile. Comment s'appelle le compositeur de la bande originale de *Requiem for a dream* ?

Indice : Clint Mansell, Georges Brassens, Alain Bashung ou don Lope de la Vega.

Clint Mansell. Ses compositions sont soutenues par le Kronos Quartet, quatuor à cordes.

grands classiques

Quel est le dernier film réalisé
par Yasujiro Ozu ?

Le Goût du saké (1962)

films primés

La Palme d'or du festival de Cannes 2008
est remportée par le film français *Entre les murs*,
de Laurent Cantet. Cela faisait vingt et un ans qu'un
film français n'avait pas reçu
cette récompense. Quel était ce dernier film ?

Indice : C'est un film de Maurice Pialat.

Sous le soleil de Satan, qui remporte la Palme en
1987. Fait étrange : la Palme d'or française
précédente avait aussi été remportée vingt et un ans
auparavant, par Claude Lelouch, avec *Un homme et
une femme*... Serait-ce un cycle ?

citations cultes

Quel personnage (et quel acteur) prononce les paroles suivantes, et dans quel film ?

① « Il serait peut-être temps de renouveler les consommations, là.

— Un café avec cinq pailles madame ! »

② « You fucked my wife ?!! »

③ « Personne, personne ne me traite de mauviette ! »

① **Tomasi (Romain Duris)** dans *Le Péril jeune*.
② **Jake La Motta (Robert De Niro)** dans *Raging Bull*.
③ **Marty McFly** dans *Retour vers le futur*.

COMÉDIE

Quel est le seul film qui réunit les prodiges de la comédie américaine Charlie Chaplin et Buster Keaton en 1952 ?

Les Feux de la rampe.
Ce film est également un des derniers de Charlie Chaplin et il y fait ses adieux au personnages de Charlot.

Dans *Qui veut la peau de Roger Rabbit* ?
comment se nomme le seul produit capable
de tuer les toons ?

La « trempette », inventée par le juge
DeMort : elle est composée de térébenthine,
d'acétone et de benzène, produits
habituellement utilisés pour diluer et
nettoyer les taches de peinture.

Qui est le réalisateur de *Bienvenue à Gattaca*
et *Lord of War*, ainsi que le scénariste
de *The Truman Show* ?
Propositions : Andrew Niccol, David Lynch,
Steven Spielberg, Cesare Pinso.

C'est Andrew Niccol.

Quel film refait les dialogues de nombreuses références cinématographiques américaines en reprenant l'intrigue initiale de *Citizen Kane* ?

Par quoi le « Rosebud » initial est-il remplacé ?

Le Grand Détournement, La Classe américaine (1993), de Michel Hazanavicius et Dominique Mezerette, avec les voix, entre autres, de Dominique Farrugia, Alain Chabat et Jean-Yves Lafesse. La célèbre phrase est : « Monde de merde ! », prononcée par Georges Abitbol (John Wayne), « l'homme le plus classe du monde ».

musique

Quel est le célèbre compositeur de la bande originale
de nombreux films de Luc Besson, et notamment
Le Grand Bleu, *Nikita*, *Léon*, *Le Cinquième Élément*,
mais également de *GoldenEye* ?

Eric Serra.

adaptation littéraire

Parmi ces films, un seul n'est pas issu
d'une œuvre littéraire. Lequel ?

① *No Country for old men*, des frères Coen
② *99 francs*, de Jean Kounen
③ *Persépolis*, de Vincent Paronnaud
④ *Dobermann*, de Jean Kounen

C'est **Dobermann**, de Jean Kounen.
Le scénario est de Joël Houssin.
Voici les auteurs des ouvrages qui ont inspiré
les trois autres films :
① Cormac McCarthy,
② Frédéric Beigbeder,
③ Marjane Satrapi.

films primés

Quel film retrace l'histoire du capitaine de la Stasi Gerd Wiesler, espionnant le dramaturge Georg Dreyman, et remporte l'Oscar du meilleur film en langue étrangère en 2006 ?

Il s'agit du film allemand *La Vie des autres*, de Florian Henckel von Donnersmarck, qui décrit certains abus du régime communiste de l'ex-RDA. En effet, la mission que poursuit G. Wiesler est orchestrée par le ministre de la Culture Bruno Hempf, qui est tout simplement amoureux de la femme de G. Dreyman, l'actrice Christa-Maria Sieland.

Quelle chanson de Dolly Parton, reprise par Whitney Huston dans *Bodyguard*, fut un succès planétaire, se vendant à 1 million de copies ?

« I Will Always Love You ».

les nombres

Retrouvez les titres de films comportant des nombres, grâce aux indices suivants :

① Combien de semaines ?

② Combien de francs ?

③ Combien d'hommes et combien de couffins ?

Voici les titres des films en question :
① *9 semaines ½*, d'Adrian Lyne.
② *99 francs*, de Jean Kounen.
③ *Trois Hommes et un couffin*, de Coline Serreau.

Dans quel film de Luchino Visconti retrouve-t-on un casting très français composé d'Alain Delon, Annie Girardot et Roger Hanin ?

Indice : Delon tient le rôle de Rocco.

Il s'agit de *Rocco et ses frères*, sorti en 1960. Annie Girardot fut mariée à Renato Salvatori qui, interprétant Simone dans le film, finit par assassiner son personnage, Nadia.

où ça ?

Voici une série de films ; retrouvez dans quelle ville ils se déroulent.

① *L'Inspecteur Harry*, de Don Siegel
② *Talons aiguilles*, de Pedro Almodovar
③ *Ben-Hur*, de William Wyler

Si vous ne trouvez pas directement, voici des propositions : Madrid, San Francisco, Jérusalem, Istanbul.

① **San Francisco**
② **Madrid**
② **Jérusalem**

Pour les connaisseurs…

Comment se nomme la célèbre voiture

de Max Rockatansky (Mel Gibson)

dans la série des *Mad Max* ?

L'Interceptor, avec laquelle Max sillonne les routes pour arrêter les dangereux criminels d'un monde post-apocalyptique.

COMÉDIE

Comment se nomme le personnage plus
que maladroit interprété par Pierre Richard
dans *Le Grand Blond avec une chaussure noire*,
Le Retour du grand blond ou encore *La Chèvre* ?

**François Perrin. Trois autres acteurs
interprétèrent ce rôle : Patrick Dewaere,
Jean-Pierre Marielle et Patrick Bruel.**

citations cultes

Quel personnage (et quel acteur) prononce les paroles suivantes, et dans quel film ?

① « Adrieeeeeeennnne !! »

② « Je reviendrai. » (« I'll be back. »)

③ « J'aime l'odeur du napalm le matin. »

① **Rocky (Silvester Stallone), dans *Rocky*.**
② **Arnold Schwarzenegger dans *Terminator*.**
③ **Le colonel Bill Kilgore (Robert Duvall) dans *Apocalypse Now*.**

acteurs

① Pouvez-vous citer au moins un film dans lequel on retrouve le célèbre acteur indien Kajol ?

② Pouvez-vous citer au moins un film dans lequel on retrouve la célèbre actrice indienne Aishwarya Rai ?

① **En voici trois :** *Dilwale Dulhania La Jayenge* (1995), *Kuch Kuch Hota Hai* (1998) et *La Famille indienne* (2001).

② **En voici trois :** *Devdas* (2002), *Coup de foudre à Bollywood (2004)* et *Guru* (2007).

grands classiques

Qui est le réalisateur d'*Oliver Twist* (1948), *Le Pont de la rivière Kwaï* (1957), *Lawrence d'Arabie* (1962) et du *Docteur Jivago* (1965) ?

C'est **David Lean**, réalisateur britannique. Il fit partie de l'industrie hollywoodienne et remporta l'Oscar de la meilleure mise en scène pour *Le Pont de la rivière Kwaï* et *Lawrence d'Arabie*.

les films avec le mot...

Pourriez-vous trouver au moins trois films
avec le mot... « ombre », dans le titre ?

En voici quelques-uns :

Ombres et brouillard, de Woody Allen, 1992.
Les Promesses de l'ombre, de David Cronenberg,
2007.
L'Armée des ombres, de Jean-Pierre Melville,
1969.
L'Ombre d'un doute, d'Alfred Hitchcock, 1943.
L'Ombre d'un soupçon, de Sydney Pollack, 1999.

Parmi ces titres de films incongrus, un seul n'a pas existé. Saurez-vous retrouver lequel ?

① *La Porte ouverte à toutes les fenêtres*
② *Même les pigeons vont au paradis*
③ *Le Trouble-fesses*
④ *La Vache et le prisonnier*

Il s'agit du premier, *La Porte ouverte à toutes les fenêtres*. Dans l'ordre, les réalisateurs et dates de parution des trois autres :
② Vincent Coudeville, 2004
③ Samuel Tourneux, 2006
④ Henri Verneuil (avec Fernandel)

films primés

Parmi ces pays, un seul n'a pas remporté la Palme d'or. Lequel ? Mexique, Portugal, URSS, Tchécoslovaquie, Brésil ?

C'est le **Portugal.** Voici les films et réalisateurs liés aux autres pays :
Mexique : *Maria Candelaria*, d'Emilio Fernández
URSS : *Le Tournant décisif*, de Fridrikh Ermler, et *Quand passent les cigognes*, de Mikhaïl Kalatozov
Tchécoslovaquie : *Les Hommes sans ailes*, de Frantisek Cáp
Brésil : *La Parole donnée*, d'Anselmo Duarte

Quelle tube du film *Grease* John Travolta et Olivia Newton-John chantent-ils lorsqu'ils sont à la fête foraine ?

« You're the One That I Want ».

citations cultes

Quel personnage (et quel acteur) prononce les paroles suivantes, et dans quel film ?

« Choisir la vie, choisir un boulot, choisir une carrière, choisir une famille, choisir une putain de télé à la con, choisir des machines à laver, des bagnoles, des platines laser, des ouvre-boîtes électroniques. (...) Pourquoi je ferais une chose pareille ? J'ai choisi de pas choisir la vie, j'ai choisi autre chose. Les raisons ? Y a pas de raison. On n'a pas besoin de raison quand on a l'héroïne. »

Renton (Ewan McGregor), dans *Trainspotting*, de Danny Boyle.

où ça ?

Voici une série de films ; retrouvez dans quelle ville ils se déroulent.

① *La Dolce Vita*, de Federico Fellini
② *Rocco et ses frères*, de Luchino Visconti
③ *La Chambre du fils*, de Nanni Moretti

Si vous ne trouvez pas directement, voici des propositions : Rome, Naples, Ancône, Milan.

① **Rome**
② **Milan**
③ **Ancône**

Quelle série de films met en scène un ancien béret vert de l'armée américaine, errant au retour de la guerre du Viêt Nam ?

Rambo, interprété par Sylvester Stallone. Tandis que le premier volet de la série se concentre sur les séquelles psychologiques de la guerre, les opus suivants sont plus ouvertement patriotiques et célèbrent l'initiative individuelle.

COMÉDIE

Qui interpréta le premier François Pignon, grande figure de la naïveté ?

Indice : Il ne s'agit pas de Pierre Richard, qui tient ce rôle dans *Les Compères* et *Les Fugitifs* ; ni de Jacques Villeret, peut-être le plus célèbre Pignon avec *Le Dîner de cons*.

C'est Jacques Brel ! Le personnage de François Pignon, comme celui de François Perrin, sont créés par Francis Veber, qui prend la direction de la quasi-totalité des films qui leur sont liés.

adaptation littéraire

Parmi ces films de Stanley Kubrick, un seul n'est pas issu d'une œuvre littéraire. Lequel ?

① *Shining,*

② *L'Ultime Razzia,*

③ *Lolita,*

④ *Full Metal Jacket*

C'est *L'Ultime Razzia*.

Voici les auteurs des ouvrages qui ont inspiré les trois autres films :

① **Stephen King,**

③ **Vladimir Nabokov,**

④ **Gustav Hasford (le titre de son roman étant *The Short Timers*) et Michael Herr (ses mémoires de guerre, dans *Dispatches*).**

citations cultes

Quel personnage (et quel acteur) prononce les paroles suivantes, et dans quel film ?

① « Je suis Godefroy Amaury de Malfète, comte de Montmirail, d'Apromont et de Papimcourt, fils d'Aldebert de Malfète et de Thibaude de Montfaucon... Je suis ton aïeul. »

② « Eh, Pierre ! Y a un monsieur très malpoli qu'a téléphoné, y voulait enculer Thérèse !

- Oui, mais c'est un ami.

- Ah bah ça va alors. »

① Le nom du personnage est dans la question ; c'est **Jean Reno** qui l'interprète dans *Les Visiteurs*. ② **Zézette (Marie-Anne Chazel)** et **Pierre Mortez (Thierry Lhermitte)** dans *Le Père-Noël est une ordure*.

adaptation littéraire

Parmi ces œuvres littéraires, laquelle n'a pas
été adaptée au cinéma ?

① *Les Misérables*, de Victor Hugo

② *La Bête humaine*, d'Émile Zola

③ *Sur la route*, de Jack Kerouac

④ *La Chartreuse de Parme*, de Stendhal

C'est *Sur la route*, de Jack Kerouac. Francis Ford Coppola
possède les droits d'adaptation cinématographique du roman
depuis 1968.
Voici les réalisateurs des trois autres films :
① Jean-Paul Le Chanois (avec Jean Gabin), Robert Hossein (avec
Lino Ventura) ou encore Claude Lelouch (avec Belmondo) ont
adapté *Les Misérables*.
② Jean Renoir
④ Christian Jaque.

À quelle actrice, dont il fut également l'époux, Charlie Chaplin donna-t-il le premier rôle dans *Les Temps modernes* ? Propositions : Georgia Hale, Merna Kennedy, Paulette Goddard.

Paulette Goddard.
Georgia Hale joue dans *La Ruée vers l'or*,
et Merna Kennedy dans *Le Cirque*.

animation

① Dans quel film d'animation peut-on voir Manny, Sid, Diego et Scrat ?

② Quels animaux sont chacun de ces personnages ?

Indice : Scrat n'a qu'une préoccupation : un gland, qui lui échappe sans arrêt.

C'est *L'Âge de glace*. Manny est un mammouth, Sid un paresseux, Diego un tigre à dents de sabre et Scrat un écureuil. Les voix françaises sont, dans l'ordre, celles de Gérard Lanvin, Élie Semoun et Vincent Cassel. Scrat reste interprété par Chris Wedge, étant donné qu'il ne fait que pousser des petits cris lorsque son gland lui échappe… c'est-à-dire tout le temps.

Quel film de Francis Ford Coppola remporte
la Palme d'or en 1979 ?

Indice : Viêt Nam.

C'est *Apocalypse Now*, avec Martin Sheen, Marlon
Brando, Robert Duvall, Dennis Hopper, Harrison Ford... Le
tournage aux Philippines fut éprouvant. Les hélicoptères,
prêtés par l'armée des Philippines, devaient être peints le
matin aux couleurs de ceux de l'armée américaine, puis
repeints le soir. Le budget passa de 17 millions à 30 millions
de dollars ; la Palme d'or sauva Coppola de la faillite. Ce
dernier, à l'instar de ses personnages, devint pratiquement
fou durant le tournage qui dura deux cent trente-huit jours ;
il perdit 40 kilos et menaça de se suicider à plusieurs
reprises.

musique

Qui a composé la musique de *Gladiator* ? Propositions : Jean-Paul Roove, Hans Zimmer, Patrick Poivre d'Arvor, Maïté.

Hans Zimmer.

Quel film de Georges Méliès met en scène une expédition de savants fous sur la Lune ?

Voyage dans la Lune, paru en 1902. L'œuvre se présente sous la forme d'une succession de tableaux vivants, un style primitif et courant dans les débuts du cinéma, qui perdurera encore longtemps, avant que des réalisateurs tels que D.W. Griffith ou Eisenstein commencent à varier les angles de vue dans une même scène. Mais elle inaugure bien un nouveau genre : la féerie, début de la science-fiction. Méliès est l'un des premiers réalisateurs à adopter une démarche artistique face au cinéma.

où ça ?

Voici une série de films ;
retrouvez dans quelle ville ils se déroulent.

① *Monsieur Klein*, de Joseph Losey
② *Rocky*, de John G. Avildsen
③ *Elephant Man*, de David Lynch

Si vous ne trouvez pas directement, voici des
propositions : Londres, Munich, Philadelphie, Paris.

① **Paris**
② **Philadelphie**
③ **Londres**

Pour quel film Humphrey Bogart reçut-il l'Oscar du meilleur acteur en 1951 ?

L'Odyssée de l'African Queen.
Humphrey Bogart est considéré comme la plus grande star masculine de tous les temps par l'American Film Institute.

les grandes sagas

En 1964 paraît *Le Gendarme de Saint-Tropez* de Jean Girault, avec Louis de Funès. C'est le début d'une longue saga, puisque cinq films suivront. Pouvez-vous les nommer ? Et vous rappelez-vous le personnage interprété par de Funès ?

Nous retrouvons le gendarme **Ludovic Cruchot** dans : *Le Gendarme à New York* (1965), *Le Gendarme se marie* (1968), *Le Gendarme en balade* (1970), *Le Gendarme et les extra-terrestres* (1979) et *Le Gendarme et les gendarmettes* (1982), tous réalisés par Jean Girault.

COMÉDIE

Quel est le seul film qui réunit Bourvil
et Fernandel ?

La Cuisine au beurre. C'est en effet
la seule fois où Bourvil aura la chance
de tourner avec celui pour qui il avait tant
d'admiration.

adaptation littéraire

Parmi ces œuvres littéraires, laquelle n'a pas
été adaptée au cinéma ?

① *Les Faux-monnayeurs*, d'André Gide
② *L'Écume des jours*, de Boris Vian
③ *Le Temps retrouvé*, de Marcel Proust
④ *Les Cent Vingt Journées de Sodome*, de
Sade ?

C'est *Les Faux-monnayeurs*. Dans l'ordre, voici
les réalisateurs des trois autres films :
② **Charles Belmont**
③ **Raoul Ruiz** (avec Catherine Deneuve,
Emmanuelle Béart et John Malkovitch)
④ **Pier Paolo Pasolini** (sous le titre *Salò
ou Les 120 journées de Sodome*)

citations cultes

Quel personnage (et quel acteur) prononce les paroles suivantes, et dans quel film ?

① « C'est trop calme... J'aime pas trop beaucoup ça... J'préfère quand c'est un peu trop plus moins calme. »

② « Je suis le maître du monde ! »

③ « Que Dieu soit en location ! »

① **Numérobis** (Jamel Debbouze) dans *Astérix et Obélix : mission Cléopâtre*

② **Jack Dawson** (Leonardo DiCaprio) dans *Titanic*

③ **Éric** (Éric Judor) dans *La Tour Montparnasse infernale*

adaptation littéraire

Parmi ces films, un seul n'est pas issu d'une œuvre littéraire. Lequel ?

① *Pars vite et reviens tard*, de Régis Wargnier
② *Le Bon, la Brute et le Truand*, de Sergio Leone
③ Le *Dernier Roi d'Écosse*, de Kevin Macdonald
④ *Ne le dis à personne*, de Guillaume Canet

C'est *Le Bon, la Brute et le Truand*.
Voici les auteurs des ouvrages qui ont inspiré les trois autres films :
① **Fred Vargas**
③ **Giles Foden**
④ **Harlan Coben**

CHERCHER L'ERREUR

Parmi ces titres de films incongrus, un seul n'a pas existé. Saurez-vous retrouver lequel ?

① *Même les fantômes se cognent contre les murs*

② *Les Yeux sans visage*

③ *Plus beau que moi tu meurs*

④ *La Larve et l'orang-outan*

Il s'agit du premier, **Même les fantômes se cognent contre les murs.**

Dans l'ordre, les réalisateurs et dates de parution des trois autres :

② **Georges Franju, 1960**

③ **Philipe Clair, 1982**

④ **Raoul Foulon, 1976**

couples

Qui est l'acteur « fétiche » de Costa-Gavras ?
Pouvez-vous nommer trois films témoins
de leur coopération ?

C'est **Yves Montand.** On peut citer :
Compartiments tueurs (1965), *Z* (1969),
L'Aveu (1970), *État de siège* (1973),
Section spéciale (1975)
et *Clair de femmes* (1979).

Dans quel film peut-on entendre la réplique suivante, et qui la prononce ?

Voix *off* : « Attention, ce flim n'est pas un flim sur le cyclimse. Merci de votre compréhension. »

Le Grand détournement, La Classe américaine, de Michel Hazanavicius et Dominique Mézerette, qui, comme son nom l'indique, parodie de vieux films américains en détournant leurs dialogues.

films primés

Quel film de Michael Haneke remporta en 2001 le Grand Prix du jury du festival de Cannes et vit ses acteurs Isabelle Huppert et Benoît Magimel récompensés par les Prix d'interprétations féminine et masculine ?

Indice ① : Ce n'est pas *Le Trompettiste*

Indice ② : Ni *Le Guitariste*

Indice ③ : *Et moins encore Le Joueur d'harmonica*

C'est *La Pianiste* (à ne pas confondre avec *Le Pianiste*, de Roman Polanski, qui fut Palme d'or l'année suivante).

Dans *Bambi*, quel est le nom du petit lapin
que rencontre notre faon après la mort
de sa mère ? Selon vous, en quelle année
est sorti ce film ?
1942, 1954, 1965, 1973, 1982

Le lapin, c'est **Pan-Pan**. Le film sort en **1942**.

Anecdote : Steven Spielberg a dit que *Bambi* était
le film le plus émouvant qu'il avait vu et que, quand
il était jeune, il se levait en pleine nuit pour aller voir
si ses parents vivaient toujours…

musique

Quelle célèbre chanson de Richard Sanderson accompagne la scène de danse de Sophie Marceau dans *La Boum* ?

« **Reality** ». « Dreams, are my reality... »

acteur

Qui suis-je ?

Top ! Je suis acteur dans :
S.O.S. Fantômes, de Ivan Reitman,
La Famille Tenenbaum, de Wes Anderson,
Lost in Translation, de Sofia Coppola,
Broken Flowers, de Jim Jarmusch.

Je suis...
        ...Bill Murray.

où ça ?

Voici une série de films ; retrouvez dans quel pays ils se déroulent.

Spéciale James Bond : il y a donc deux pays à trouver pour chaque film (sauf pour le premier).

① *James Bond 007 contre Dr No*, de Terence Young

② *Les Diamants sont éternels*, de Guy Hamilton

③ *Octopussy*, de John Glen

Si vous ne trouvez pas directement, voici des propositions : Inde et Allemagne, Pays-Bas et États-Unis, Jamaïque, Égypte et Italie.

① Jamaïque

② Pays-Bas (Amsterdam) et États-Unis (Las Vegas)

③ Inde (New Delhi et Udaipur) et Allemagne

les grandes sagas

Quel réalisateur indien est à l'origine
de *La Trilogie d'Apu* ?
Pouvez-vous citer le nom des trois volets
de cette série ?

La Trilogie d'Apu fut réalisée
par Satyajit Ray.
Elle est composée de :
La Complainte du sentier (1955),
L'Invaincu (1957),
Le Monde d'Apu (1959).

COMÉDIE

Quel film de Claude Zidi réunit Coluche et Louis de Funès dans le milieu de la cuisine en 1976 ?

L'Aile ou la cuisse.

adaptation littéraire

Parmi ces films, un seul n'est pas issu d'une œuvre littéraire. Lequel ?

① *Rocky*, de John G. Avildsen
② *Le Silence des agneaux*, de Jonathan Demme
③ *Balzac et la petite tailleuse chinoise*, de Dai Sijie
④ *Le Seigneur des anneaux*, de Peter Jackson

C'est ***Rocky***, écrit par Sylvester Stallone lui-même. Voici les auteurs des ouvrages qui ont inspiré les trois autres films :
② **Thomas Harris,**
③ **Dai Sijie lui-même,**
④ **J.R.R. Tolkien.**

adaptation littéraire

Parmi ces œuvres littéraires,
laquelle n'a pas été adaptée au cinéma ?

① *Roméo et Juliette*, de William Shakespeare

② *Gargantua*, de Rabelais

③ *La Duchesse de Langeais*, d'Honoré de Balzac

④ *Un Roi sans divertissement*, de Jean Giono

C'est *Gargantua*.
Voici les réalisateurs des trois autres films :
① On peut retenir *Roméo + Juliette*, de Baz Luhrmann
③ Jean-Daniel Verhaeghe (1995)
④ François Leterrier (1963)

histoire du cinéma

Quel film de D.W. Griffith marque le début du
long-métrage comme support majeur ?

Naissance d'une nation, **paru en 1914.**
**Il dure cent vingt-cinq minutes. Griffith veut faire du
cinéma le témoin moral de l'histoire.**
**Autrement, le premier « long-métrage » est réalisé
en 1906 : il s'agit de *The Story of the Kelly Gang*, de
Charles Tait ; il est le premier film à dépasser une
heure (soixante-dix minutes).**

citations cultes

Quel personnage (et quel acteur) prononce les paroles suivantes, et dans quel film ?

① « Rien n'est plus nécessaire que le superflu. »

② « Vous être classé dans la catégorie humain ?
- Négatif, je suis une mite en pull-over. »

③ « C'est la porte ouverte à toutes les fenêtres. »

① **Guido Orefice** (Roberto Benigni), dans *La Vie est belle*.

② **Korben Dallas** (Bruce Willis) dans *Le Cinquième Élément*.

③ **Dov Mimran** (Gad Elmaleh) dans *La Vérité si je mens ! 2*.

Avec quel film Lars von Trier remporte-t-il la Palme d'or en 2000 ?

Indice : Björk.

Dancer in the Dark.

animation

Retrouvez les Disney auxquels font tout
de suite penser les mots suivants :

① Mensonge   ③ Spaghetti   ⑤ Lessive
② Soulier   ④ Arc

① **Pinocchio** : le nez du pantin s'allonge lorsqu'il ment

② **Cendrillon** : le fameux soulier de cristal perdu

③ **La Belle et le Clochard** : une scène d'amour entre deux chiens, dans la cour d'un restaurant italien

④ **Robin des Bois** : les talents de l'archer le plus réputé de Sherwood

⑤ **La Petite Sirène** : je vous l'accorde, il y avait un piège, mais comme l'héroïne s'appelle Ariel...

Qui a composé la musique d'*Amélie Poulain* et de *Goodbye, Lenin* ! ?

Yann Tiersen, César de la meilleure musique pour *Amélie Poulain* en 2002.

Quel fut le premier rôle de Cameron Diaz ?

Indice : Elle partage l'affiche avec Jim Carrey.

Elle interprète Tina Carlyle dans *The Mask*. Pas mal pour un premier rôle.

Derrière la caméra

Qui a réalisé *Brazil*, *L'Armée des douzes singes*
et *Las Vegas parano* ?

C'est **Terry Gilliam**, également célèbre
membre des Monty Python et réalisateur du
Sacré Graal et du *Sens de la vie*.

les grandes sagas

Dans quelle trilogie peut-on voir Marty McFly
et « Doc » faire des allers-retours dans le temps ?
Quel est le nom de la voiture qu'ils utilisent ?
Comment se nomme le chien du Doc ?

Retour vers le futur, bien sûr, grâce à la DeLorean
DMC-12. Le chien se nomme Einstein. Un petit rappel
du scénario du premier opus ? Doc a volé du plutonium
à des terroristes libyens… qui le tuent… et Marty
s'enfuit pour échapper à la même punition…

Quel film voit les deux agents du F.B.I Bullit et Riper (Kad et Olivier) enquêter sur la mort d'une prostituée ?

Indice 1 : Le prénom de cette femme est Pamela.

Mais qui a tué Pamela Rose ?

adaptation littéraire

Parmi ces œuvres littéraires, laquelle
n'a pas été adaptée au cinéma ?

① *L'Île au trésor*, de Robert Louis Stevenson
② *Othello*, de Shakespeare
③ *Les Lettres persanes*, de Montesquieu
④ *Un cœur simple*, de Gustave Flaubert

Les Lettres persanes.
Voici les réalisateurs des trois autres films :
① **Victor Fleming**
② **Orson Welles**
④ **Marion Laine.**

Qui sont les deux acteurs français
que l'on retrouve auprès de Tom Cruise
dans *Mission impossible*, de Brian De Palma ?

Emmanuelle Béart et **Jean Reno**.

les films avec le mot...

Pourriez-vous trouver au moins trois films avec le mot... « homme », dans le titre ?

En voici quelques-uns :
Les Hommes préfèrent les blondes, de Howard Hawks, 1954.
Trois Hommes et un couffin, de Coline Serreau, 1985.
Le Troisième Homme, de Carol Reed, 1949.
Confessions d'un homme dangereux, de Georges Clooney, 2003.
L'Homme sans âge, de Francis Ford Coppola, 2007.
L'Homme des hautes plaines, de Clint Eastwood, 1973.

Quel est le nom de l'art martial créé par Bruce Lee ?

Le jeet kune do (JKD), savant mélange de kung-fu, de boxe française, anglaise, de karaté, d'aïkido et de jujitsu, qui rompt avec l'« éthique » des arts martiaux traditionnels, pour devenir un combat de rue, une méthode de combat en situation réelle : on a le droit de mordre, de crever les yeux, de frapper son adversaire dans son intimité…

Le saviez-vous ? Roman Polanski, Steve McQueen et Chuck Norris furent des élèves de Bruce Lee.

adaptation littéraire

Parmi ces films, un seul n'est pas issu d'une œuvre littéraire. Lequel ?

① *Fight Club*, de David Fincher
② *Je vais bien, ne t'en fais pas*, de Philippe Lioret
③ *Mulholland Drive*, de David Lynch
④ *Les Rivières pourpres*, de Matthieu Kassovitz

C'est **Mulholland Drive**, écrit par Lynch lui-même. Dans l'ordre, voici les auteurs des ouvrages qui ont inspiré les trois autres films : Chuck Palahniuk, Olivier Adam, Jean-Christophe Grangé.

À quel écrivain les studios Disney ont-ils emprunté *Alice au Pays des merveilles* ?

Lewis Carroll.

grands classiques

Quel film de Fritz Lang, paru en 1927, conte l'histoire d'une ville divisée en deux, dans laquelle les dirigeants vivent dans les hauteurs et les ouvriers dans les bas-fonds ?

Metropolis. Après Georges Méliès, Fritz Lang apporte ici une grande contribution au genre de la science-fiction. Ce film tient un rôle très important dans l'imaginaire cinématographique, et on perçoit son influence dans de nombreux films ultérieurs : la cité du *Cinquième Élément*, le design de *C3-PO* dans *La Guerre des étoiles* (très proche de l'androïde de Fritz Lang), ou encore le nom même de la ville, Metropolis, présent dans l'univers de *Superman*.

Derrière la caméra

Qui est le réalisateur de *Seven* et de *Fight Club* ?

Quel acteur joue dans ces deux films ?

Le réalisateur de ces films est **David Fincher**, et c'est **Brad Pitt** qu'on y retrouve.

COMÉDIE

Comment s'appelle le personnage interprété par Jacques Tati dans ses propres films *Mon Oncle*, *Playtime* et *Trafic* ?

Indice : C'est également le nom d'un célèbre écologiste, prénommé Nicolas...

***Monsieur Hulot*. Il apparaît également dans *Les Vacances de monsieur Hulot*. Et en effet, Jacques s'est inspiré, pour ce personnage, de son voisin architecte, le grand-père de Nicolas Hulot.**

Quel est le nom du célèbre personnage interprété par Jean-Pierre Léaud dans la série de quatre films réalisée par François Truffaut, qui va des *Quatre Cent Coups* (1959) à *L'Amour en fuite* (1979).

Antoine Doinel.

Qui est le célèbre producteur de la Nouvelle Vague ?

Georges de Beauregard.

Quel est le célèbre mot énigmatique que prononce Howard Hugues sur son lit de mort et qui donne lieu à un flash-back retraçant sa vie entière, dans le célébre film d'Orson Welles, *Citizen Kane* ?

« *Rosebud* ». Ce mot inscrit sur la luge d'Howard Hugues est le symbole de son enfance perdue ; il révèle parfaitement ce personnage qui, « déçu alors par la vie, s'était construit son propre royaume dans lequel il était roi. »

CHERCHER L'ERREUR

Parmi ces titres de films incongrus, un seul n'a pas existé. Saurez-vous retrouver lequel ?

① *Les Oiseaux sont des cons*

② *Le Congrès des belles-mères*

③ *Sois belle et tais-toi*

④ *Tous à la cantoche !*

Il s'agit du dernier, *Tous à la cantoche !* Dans l'ordre, les réalisateurs et dates de parution des trois autres :

① Chaval, 1964

② Emile Couzinet, 1954

③ Marc Allégret, 1957

Comment s'appelle le cannibale psychopathe
interprété par Anthony Hopkins
dans *Le Silence des agneaux* ?

Hannibal Lecter.

Derrière la caméra

Quel film du Danois Thomas Vinterberg,
sorti en 1998, met en scène une fête de famille
pour les 60 ans du père de Helge,
durant laquelle des vérités très dures sont révélées ?

Festen.

C'est le premier film labellisé **dogme95**,
mouvement cinématographique lancé
également par Lars von Trier, en réaction aux
superproductions anglo-saxonnes.

animation

Voici les titres québécois de films d'animations Pixar, retrouvez les titres français :

① *Histoire de jouets*
② *Une vie de bestiole*
③ *Trouver Némo*
④ *Les Incroyables*
⑤ *Les Bagnoles*

① **Toy Story**
② **1001 Pattes**
③ **Le Monde de Némo**
④ **Les Indestructibles**
⑤ **Cars**

musique

Qui est le compositeur des musiques de nombreux films de David Cronemberg (dont *La Mouche*, *eXistenZ*, *A History of Violence*), de David Fincher (*Seven*, *Panic Room*), et également de la trilogie du *Seigneur des Anneaux* ?
Propositions : John Williams, Jean-Sébastien Bach, Howard Shore, Miles Davis.

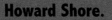

Howard Shore.

Derrière la caméra

Quel célèbre réalisateur japonais est à l'origine des films *Hana-Bi* (1997), *L'Été de Kikujiro* (1999) et *Aniki, mon frère* (1999) ?

C'est **Takeshi Kitano**, qui se fait également appeler Beat Takeshi lorsqu'il interprète des rôles plus comiques.

Derrière la caméra

Quel film peut être considéré comme le manifeste de la Nouvelle Vague ?

La Nuit américaine de **François Truffaut** (1973). La rupture entre cinéma de studio et cinéma extérieur, revendiquée par la Nouvelle Vague, y est mise en scène dans une mise en abime : le film nous montre la réalisation d'un film avec caméra sur grue et décalages (tournage d'une scène d'hiver en plein été, tournage d'une scène de nuit en plein jour, la fameuse « nuit américaine ») ; Ferrand, le réalisateur, est incarné par Truffaut lui-même.

Qui suis-je ?

Top ! Je suis... un acteur de cinéma français
né le 17 mai 1904 à Paris. On peut me voir
dans *Pépé le Moko*, de Julien Duvivier (1936),
La Grande Illusion, de Jean Renoir (1937),
Quai des brumes, de Marcel Carné 1938),
Touchez pas au grisbi, de Jacques Becker (1954),
ou encore *Du rififi à Paname*, de Denys
de La Patellière (1966). Je suis...

Jean Gabin !

COMÉDIE

Quel acteur américain de cinéma burlesque
retrouve-t-on dans une scène de
Monte là-dessus !, suspendu aux aiguilles
d'une horloge en escaladant la façade
d'un gratte-ciel de Los Angeles ?

Harold Clayton Lloyd.

adaptation littéraire

Parmi ces films, un seul n'est pas issu d'une œuvre littéraire. Lequel ?

① *Le Nom de la rose*, de Jean-Jacques Annaud

② *Top Gun*, de Tony Scott

③ *Un tramway nommé désir*, d'Elia Kazan

④ *La Planète des singes*, de Franklin J. Schaffner puis Tim Burton

C'est *Top Gun*. Dans l'ordre, voici les auteurs des ouvrages qui ont inspiré les trois autres films :

① Umberto Eco

② Tennessee Williams (pièce de théâtre)

③ Pierre Boulle

citations cultes

Quel personnage (et quel acteur) prononce les paroles suivantes, et dans quel film ?

① « On va l'accrocher à un fil invisible. Un fil invisible, c'est comme un homme invisible, mais en forme de fil. »

② « Montjoie ! Saint-Denis ! Que trépasse si je faiblis ! »

③ « Voyez, voyez... Ses yeux sont des amandes, ses joues des pêches, sa bouche une cerise... Je la vends 100 piastres.
— Les fruits sont chers cette année ! »

① Éric (Éric Judor), dans *La Tour Montparnasse infernale*.

② Il s'agit du comte de Montmirail (Jean Reno) dans *Les Visiteurs*. Les deux premières exclamations sont le cri de ralliement des chevaliers français, suivi de la devise des Montmirail.

③ *Ali Baba et les quarante voleurs*, de Jacques Becker, avec Fernandel.

les films avec le mot...

Pourriez-vous trouver au moins trois films

avec le mot... « rêve », dans le titre ?

En voici quelques-uns :
Rêves, d'Akira Kurosawa, 1990.
La Science des rêves, de Michel Gondry, 2006.
Requiem for a dream, de Darren Aronofsky, 2000.
Le Rêve de Cassandre, de Woody Allen, 2007.
Où sont les rêves de jeunesse ? de Yasujiro Ozu, 1932.

les nombres

Jeu de rapidité : retrouvez les titres de films comportant des nombres, grâce aux indices suivants :

① Combien de mariages et combien d'enterrements ?

② Combien de samouraïs ?

③ Combien de salopards ?

Voici les titres des films en question :

① *Quatre mariages et un enterrement*, de Mike Newell.

② *Les Sept Samouraïs*, d'Akira Kurosawa.

③ *Les Douze Salopards*, de Robert Aldrich.

Parmi ces films, un seul n'est pas issu d'une œuvre littéraire. Lequel ?

① *Charlie et la chocolaterie*, de Tim Burton

② *La Mémoire dans la peau*, de Doug Liman

③ *Jackie Brown*, de Quentin Tarantino

④ *La Strada*, de Federico Fellini

La Strada. Voici les auteurs des ouvrages qui ont inspiré les trois autres films :

① Roald Dahl,

② Robert Ludlum,

③ Elmore Leonard (*Rum Punch* ; c'est la première fois que Tarantino adapte un roman à l'écran).

films primés

Parmi ces pays, un seul n'a pas remporté
la Palme d'or. Lequel ?
Algérie, Turquie, Finlande, Pologne, Roumanie ?

C'est la Finlande.
Voici les films et réalisateurs liés aux autres pays :
- **Algérie** : *Chronique des années de braise*, de
Mohammed Lakhdar-Hamina
- **Turquie** : *Yol, la permission*, de Yilmaz Güney
- **Pologne** : *Le Pianiste*, de Roman Polanski
- **Roumanie** : *4 mois, 3 semaines, 2 jours*, de
Cristian Munglu.

Quel est le premier long-métrage
entièrement réalisé en images
de synthèse ?

Toy Story. Le sujet des jouets comme centre de l'histoire n'est alors pas anodin ; il est dû à l'imperfection du logiciel de l'époque, qui était incapable de rendre parfaitement la texture de la peau humaine et lui donnait un aspect plastique.

musique

Qui a composé le thème principal de *James Bond* ?
Propositions : Sigourney Waver, Nicole Kidman,
Casimir, John Barry.

John Barry.

les nombres

Retrouvez les titres de films comportant
des nombres, grâce aux indices suivants :

① De combien de singes se compose une armée ?

② Combien de jours plus tard ?

③ Quelle température fait-il au matin ?

Voici les titres des films en question :

① *L'Armée des douze singes*, de Terry Gilliam.

② *28 jours plus tard*, de Danny Boyle.

③ *37°2 le matin*, Jean-Jacques Beinex.

Dans quel film de Pedro Almodovar
Antonio Banderas se révèle-t-il
dans son premier rôle ?

Le Labyrinthe des passions (1982).

Qui est le réalisateur de films aussi différents qu'*Elephant Man* (1980), *Dune* (1984) et *Mulholland Drive* (2001) ?

David Lynch.

COMÉDIE

Quel *teen movie* (film pour adolescents) présente quatre copains qui se lancent le pari de perdre leur virginité avant de quitter le lycée ?

American Pie.

Derrière la caméra

Dans quel film de Stanley Kubrick peut-on voir,
sur fond musical de la Symphonie n° 9 de Beethoven,
Alex DeLarge et sa bande, les droogs, voler, tabasser
et violer sans scrupules ?

Il s'agit d'*Orange Mécanique*, sorti en **1971**.
Le saviez-vous ? À l'époque de la sortie du film,
plusieurs délinquants britanniques ont déclaré avoir
pris exemple sur le film, et Stanley Kubrick a reçu de
nombreuses lettres de menaces (il vivait alors en
Angleterre). Prenant peur, notamment pour ses
enfants, il a demandé à Warner de retirer le film des
salles britanniques ; ce n'est qu'en 2000 (après le
mort de Kubrick) que le film est à nouveau projeté au
Royaume-Uni.

Qui sont les deux célèbres acteurs de *L'Arme fatale* ?

Mel Gibson et Danny Glover.

les nombres

Retrouvez les titres de films comportant des nombres, grâce aux indices suivants :

① Combien de jours à tuer ?

② Combien de millimètres ?

③ Combien de frères ?

Voici les titres des films en question :

① *Deux jours à tuer*, de Jean Becker.

② *8 mm*, de Joël Schumacher.

③ *Les Trois Frères*, des Inconnus.

les films avec le mot...

Pourriez-vous trouver au moins trois films avec le mot... « enfant », dans le titre ?

En voici quelques-uns :

Les Enfants du paradis, de Marcel Carné, 1945.

L'Enfant sauvage, de François Truffaut, 1970.

Les Enfants du marais, de Jean Becker, 1999.

L'Enfant lion, de Patrick Grandperret, 1992.

La Cité des enfants perdus, de Jean-Pierre Jeunet et Marc Caro, 1995.

Itinéraire d'un enfant gâté, de Claude Lelouch, 1988.

Ils se marièrent et eurent beaucoup d'enfants, d'Yvan Attal, 2004.

Jeux d'enfants, de Yann Samuell, 2003.

Pouvez-vous citer les trois longs-métrages
de Sofia Coppola ?

Virgin Suicides,
Lost in Translation,
Marie-Antoinette.

animation

Dans quel film retrouve-t-on Duchesse, Marie, Toulouse, Berlioz et Thomas O'Malley ?

Les Aristochats. Les noms des trois chatons sont un hommage à la chanteuse Maria Callas, au peintre Henri de Toulouse-Lautrec et au compositeur Hector Berlioz.

Dans *Apocalypse Now*, quel célèbre morceau de Wagner accompagne l'assaut en hélicoptères sur une plage du Vietnam ?

« La Chevauchée des Walkyries ». C'est le lieutenant-colonel Kilgore qui ordonne de la faire diffuser dans des haut-parleurs pour redonner du courage à ses soldats et apeurer l'ennemi.

les nombres

Retrouvez les titres de films comportant
des nombres, grâce aux indices suivants :
① À combien de voleurs Ali Baba doit-il faire
face ?
② Combien de Spartiates ?
③ Combien de nuits ?

① *Ali Baba et les quarante voleurs*, de Jacques
Becker.
② *300*, de Zack Snyder.
③ *Les Mille et Une Nuits*, de Pier Paolo Pasolini.

adaptation littéraire

Parmi ces œuvres littéraires, laquelle n'a pas été adaptée au cinéma ?

① *Le Portrait de Dorian Gray*, d'Oscar Wilde

② *Dr Jekyll et Mr. Hyde*, de Robert Louis Stevenson

③ *Madame Bovary*, de Flaubert

④ *Les Rêveries du promeneur solitaire*,
de Jean-Jacques Rousseau

Les Rêveries du promeneur solitaire.
Voici les réalisateurs des trois autres films :
① **Albert Lewin**
② **Parmi les nombreuses adaptations de cette œuvre, on peut retenir celle de Victor Fleming (avec Ingrid Bergman)**
③ **Jean Renoir ou Claude Chabrol.**

Derrière la caméra

Quel film de Stanley Kubrick, paru en 1975, dépeint les aventures d'un Irlandais dans la société anglaise du XVIIIᵉ siècle ?

C'est *Barry Lyndon*. Kubrick voulut que ce film soit une sorte de documentaire qui se serait passé au XVIIIᵉ siècle ; c'est pourquoi chaque plan est magnifiquement travaillé, dans sa lumière et sa disposition, et peut être appréhendé comme un véritable tableau d'époque.

Comment se nomme le célèbre policier interprété par Bruce Willis dans *Die Hard* ?

Sauriez-vous citer les quatre opus de la série ?

John MacClane. Nous le retrouvons dans *Piège de cristal*, *58 Minutes pour vivre*, *Une journée en enfer*, *Retour en enfer*.

COMÉDIE

Quelle comédie noire présente un documentaire sur Ben (Benoît Poelvoorde), tueur de profession ?

C'est arrivé près de chez vous.
C'est le premier film de Benoît Poelvoorde, qui ne se destinait pas à une carrière d'acteur.

Pourriez-vous trouver au moins trois films avec le mot... « famille », dans le titre ?

En voici quelques-uns :
La Famille Tenenbaum, de Wes Anderson, 2002.
La Famille Addams, de Barry Sonnenfeld, 1992.
La Famille indienne, de Karan Johar, 2004.
Un air de famille, de Cédric Klapisch, 1996.
La Famille Pierrafeu, de Brian Levant, 1994.

CHERCHER L'ERREUR

Parmi ces titres de films incongrus, un seul n'a pas existé. Saurez-vous retrouver lequel ?

① *Si les porcs avaient des ailes*

② *Razzia sur la chnouf*

③ *Du ciment entre les dents*

④ *Cinéma, aspirines et vautours*

Il s'agit de l'avant-dernier, **Du ciment entre les dents.** Voici les réalisateurs et dates de parution des trois autres :

① **Paolo Pietrangeli, 1977**

② **Henri Decoin, 1954**

④ **Marcelo Gomes, 2006**

adaptation littéraire

Parmi ces films, un seul n'est pas issu d'une œuvre littéraire. Lequel ?

① *Effroyables jardins*, de Jean Becker

② *La Ruée vers l'or*, de Charlie Chaplin

③ *Le Bûcher des vanités*, de Brian De Palma

④ *American Psycho*, de Mary Harron

La Ruée vers l'or.
Voici les auteurs des ouvrages qui ont inspiré les trois autres films :
① **Michel Quint**
③ **Tom Wolfe**
④ **Bret Easton Ellis**

Pouvez-vous citer quatre membres du mouvement cinématographique de la Nouvelle Vague ?

François Truffaut, Jean-Luc Godard, Jacques Rivette, Claude Chabrol, Éric Rohmer, Pierre Kast et Jacques Doniol-Valcroze.
La plupart des figures tutélaires du groupe sont issues des *Cahiers du cinéma*. D'autres cinéastes partagent les mêmes valeurs, même s'ils ne sont pas issus de la critique, comme Agnès Varda, Jacques Demy, Jean-Pierre Melville.

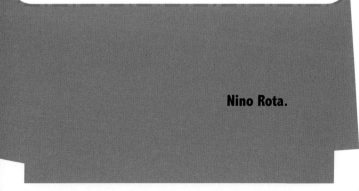

Qui a composé la chanson principale du *Parrain* ?
Propositions : Nino Rota, Francis Lai, Fabien Barthez,
Al Pacino ?

Nino Rota.

adaptation littéraire

Parmi ces films, un seul n'est pas issu d'une œuvre littéraire. Lequel ?

① *L'Armée des ombres*, de Jean-Pierre Melville

② *Autant en emporte le vent*, de Victor Fleming

③ *Barton Fink*, des frères Coen

④ Battle Royale, de Kinji Fukasaku

Barton Fink. Voici les auteurs des ouvrages qui ont inspiré les trois autres films :

① Joseph Kessel

② Margaret Mitchell, son unique roman remporte le prix Pulitzer en 1937

④ Koushun Takami

les nombres

Retrouvez les titres de films comportant des nombres, grâce aux indices suivants :

① Combien de coups ?

② Combien d'années sous les verrous ?

③ Combien vaut la Baby ?

Voici les titres des films en question :

① ***Les 400 Coups***, de François Truffaut.

② ***Vingt Mille Ans sous les verrous***, de Michael Curtiz.

③ ***Million Dollar Baby***, de Clint Eastwood.

Pour les connaisseurs.
Quelle est l'arme associée à James Bond
(un pistolet, certes, mais lequel) ?

C'est le **Walther PPK 7,65 mm**, excepté dans le premier volet de la série (c'est un Beretta 6,35 mm) et dans ceux qui suivent *Demain ne meurt jamais* (le PPK est remplacé par un Walther P99, plus puissant).

COMÉDIE

Quel film de Ben Stiller présente un tournoi mondial de balle au prisonnier ?

Dodgeball.

citations cultes

Quel film se termine par cette tirade ? Qui la déclame ?

« Je pensais à cette vieille blague, vous savez : ce-ce-ce type va chez un psychiatre et dit :

– Doc, euh, mon frère est fou. Il se prend pour un poulet. Et, euh, le docteur dit :

– Et bien, pourquoi ne le faites-vous pas enfermer ?
Et le type dit :

– J'aimerais bien, mais j'ai besoin des œufs.
Eh bien, je crois que c'est ce que je ressens au sujet des relations. Vous savez, elles sont totalement irrationnelles et folles et absurdes et… mais, euh, je crois qu'on continue parce que, euh, la plupart d'entre nous ont besoin des œufs… »

Il s'agit d'Alvy Singer (Woody Allen) dans *Annie Hall*, qui tente de se remettre de sa rupture avec Annie (Diane Keaton).

les films avec le mot...

Pourriez-vous trouver au moins trois films avec le mot... « amour », dans le titre ?

En voici quelques-uns :

L'Amour en fuite, de François Truffaut, 1979.

Guerre et amour, de Woody Allen, 1975.

Les Amours d'Astrée et de Céladon, d'Eric Rohmer, 2007.

Hiroshima mon amour, d'Alain Resnais, 1959.

L'Amour à la ville, de Michelangelo Antonioni et Federico Fellini, 1953.

Amours chiennes, d'Alejandro González Inárritu, 2000.

L'Amour extra-large, de Bobby Farrelly, 2002.

L'Amour à 20 ans, de Shintaro Ishihara et Renzo Rossellini, 1962.

Derrière la caméra

Quels logos représentent les différentes sociétés de production suivantes :
Paramount ; Golwyn Mayer ; Columbia Pictures ; Pathé ;
A Band Apart ; Dreamworks.

Voici les différents logos.
- **Paramount :** une montagne.
- **Goldwyn Mayer :** un lion.
- **Columbia Pictures :** Columbia (équivalent féminin de l'oncle Sam) portant une torche (évoquant ainsi la statue de la Liberté), personnification des États-Unis.
- **Pathé :** un coq.
- **A Band Apart :** les hommes de *Reservoir Dogs*, en noir et blanc. Le nom de cette société de production créée par Quentin Tarantino est une référence à l'un de ses films préférés, *Bande à part*, de Jean-Luc Godard.
- **Dreamworks :** une silhouette, assise sur un croissant de Lune, en train de pêcher.

les nombres

Retrouvez les titres de films comportant des nombres, grâce aux indices suivants :

① Combien de fois le train sifflera-t-il ?

② Combien de mercenaires ?

③ Combien de jours et combien de nuits ?

Voici les titres des films en question :

① **Le Train sifflera trois fois**, de Fred Zinnemann.

② **Les Sept Mercenaires**, de John Sturges.

③ **Six Jours et sept nuits**, d'Ivan Reitman.

adaptation littéraire

Parmi ces œuvres littéraires, laquelle n'a pas été adaptée au cinéma ?

① *Les Âmes grises*, de Philippe Claudel

② *L'Amour aux temps du choléra*, de Gabriel Garcia Marquez

③ *Crime et Châtiment*, de Fedor Dostoïevski

④ *Mort à crédit*, de Louis-Ferdinand Céline

Mort à crédit.

Voici les réalisateurs des trois autres films :

① **Yves Angelo,**

② **Mike Newell,**

③ **Georges Lampin.**

les nombres

Retrouvez les titres de films comportant des nombres, grâce aux indices suivants :

① Combien d'années de réflexion ?

② Combien de commandements ?

③ Combien de jours à Paris ?

Voici les titres des films en question :

① *Sept Ans de réflexion*, de Billy Wilder.

② Cela dépend : soit vous êtes *Les Dix Commandements*, de Cecil Blount DeMille, soit vous êtes plutôt *Les 11 Commandements*, de François Desagnat, avec Michaël Youn.

③ *2 Days in Paris*, de Julie Delpy.

Comment s'appelle le grand méchant
de *S.O.S. Fantôme I* ?

Gozûr.

COMÉDIE

Question pointue...

Comment se nomme le fameux bar dans lequel Shaun (Simon Pegg) et Ed (Nick Frost) passent tout leur temps et dans lequel ils se réfugient pour échapper à une armée de zombies, dans *Shaun of the Dead*, d'Edgar Wright ?

Le Winchester ! Le film est une parodie des films de zombies, et tout particulièrement de ceux de George A. Romero ; le titre est d'ailleurs un clin d'œil à *Dawn of the Dead* (*Zombie*).

citations cultes

Quel personnage (et quel acteur) prononce les paroles suivantes, et dans quel film ?

① « Mais qu'est-ce que je vais devenir ? Je suis ministre, je ne sais rien faire ! »

② « Sa Majesté a bien reçu ma lettre anonyme ? »

③ « J'ai observé que, d'ordinaire, on se dit "au revoir" quand on espère bien qu'on ne se reverra jamais, tandis qu'en général on se revoit volontiers quand on s'est dit "adieu". »

① et ② Il s'agit de deux répliques de **don Salluste de Bazan** (Louis de Funès) dans *La Folie des grandeurs*.
③ **Sacha Guitry**, dans *Toâ*.

les films avec le mot...

Pourriez-vous trouver au moins trois films avec le mot... « oiseau », dans le titre ?

En voici quelques-uns :
Le Roi et l'oiseau, de Paul Grimault, 1980.
Les Oiseaux, d'Alfred Hitchcock, 1963.
Le Ciel, les oiseaux et... ta mère, de Djamel Bensalah, 1999.
Les Oiseaux vont mourir au Pérou, de Romain Gary, 1968.

animation

Quels sont les super-pouvoirs de chacun des membres de la famille des Indestructibles ?

- **M. Indestructible**, *alias* Robert Parr dans la vie civile, est doué d'une force gigantesque ;
- **Elastigirl**, ou Hélène Parr, peut étirer son corps à sa guise ;
- **Flèche** court hyper vite ;
- **Violette** peut se rendre invisible et projeter un champ de force ;
- et **Jack-Jack** peut se transformer en boule de feu.

Derrière la caméra

Comment se nomment les apparitions furtives
d'un réalisateur dans son film ?

Des caméos. On peut penser, par exemple, à Alfred
Hitchcock. C'est un petit jeu que le réalisateur pose
entre lui et son spectateur.
À savoir : Hitchcock le faisait toujours en début de
film, pour que le spectateur réserve ensuite toute son
attention à l'intrigue.

Derrière la caméra

Quelle célèbre réalisatrice indienne a reçu
la Caméra d'Or et le Prix du Public à Cannes (1988)
et le Lion d'Or à Venise (2001) ?

Indice : Voici deux de ses films les plus connus : *Salaam
Bombay !* et *Le Mariage des moussons*

Mira Nair est l'une des cinéastes les plus
célèbres et controversées de son pays. Elle
obtient son plus grand succès avec le film
Salaam Bombay ! en 1987.

COMÉDIE

① Dans quel film, parodie de *blockbusters*, Arnold Schwarzenegger possède-t-il un ticket de cinéma magique qui lui permet d'entrer et de sortir des films ?

② S'il est Arnold Schwarzenegger d'un côté, comment s'appelle le héros qu'il incarne de l'autre côté ?

① *Last Action Hero*

② Arnold Schwarzenegger est **Jack Slater**. Pour vous expliquer un peu mieux, voici une citation du film :
« Ne suis-je pas le célèbre Arnold Alberschweitzer ?!
– Schwarzenegger !
– À tes souhaits. »

adaptation littéraire

Parmi ces films, un seul n'est pas issu
d'une œuvre littéraire. Lequel ?

① *Big Fish*, de Tim Burton
② *La Vie des autres*, de Florian H. von
Donnersmarck
③ *Les Dents de la mer*, de Steven Spielberg
④ *La Chambre des officiers*, de François Dupeyron

La Vie des autres.
Voici les auteurs des ouvrages qui ont inspiré
les trois autres films :
① **Daniel Wallace**
③ **Peter Benchley**
④ **Marc Dugain.**

Pourriez-vous trouver au moins trois films avec le mot... « belle » dans le titre ?

En voici quelques-uns :
Belle de jour, de Luis Buñuel, 1967.
La Belle et la Bête, de Jean Cocteau, 1946.
La Belle et le Clochard, de Hamilton Luske, 1955.
La Vie est belle, de Frank Capra, 1946, ou de Roberto Benigni, 1997.
La Belle au bois dormant, de Wolfang Reitherman, 1959.
Belles, blondes et bronzées, de Max Pécas, 1981.
Les Plus Belles Années de notre vie, de William Wyler, 1946.

Derrière la caméra

Quel film réalisé par Tommy Lee Jones en 2005
voit Pete Perkins (Tommy Lee Jones lui-même)
déterrer son ami Melquiades Estrada,
paysan mexicain assassiné, avant de faire
reconduire son corps au Mexique par son meurtrier ?

Trois Enterrements.

Comment se nomme le grand restaurant parisien dans lequel s'installe Rémy, le rat de *Ratatouille* ?

« Chez Gusteau ». Auguste Gusteau est probablement inspiré du célèbre cuisinier Bernard Loiseau.

Derrière la caméra

Qui suis-je ?
(avec la voix de Julien Lepers, c'est encore mieux.)
Top ! Acteur, mais surtout réalisateur français,
je tiens des petits rôles dans *Le Cinquième Élément*,
Amélie Poulain, et *Astérix et Obélix : mission Cléopâtre*,
et un rôle plus conséquent dans *Amen*, de Costa-Gavras,
et *Munich*, de Steven Spielberg...
Je suis réalisateur des *Rivières Pourpres*, de *La Haine*,
de *Babylon A.D....* ?

Mathieu Kassovitz.

citations cultes

Quel personnage (et quel acteur) prononce les paroles suivantes, et dans quel film ?

① « T'as d'beaux yeux, tu sais. »

② « Quand le lion est mort, les chacals se disputent l'empire. On ne peut pas leur en demander plus qu'aux fils de Charlemagne. »

③ « Tu vois, le monde se divise en deux catégories : ceux qui ont un pistolet chargé et ceux qui creusent. Toi tu creuses. »

① **Jean Gabin,** dans *Quai des brumes*.
② **Fernand Naudin (Lino Ventura)** dans *Les Tontons flingueurs*.
③ **Le Bon (Clint Eastwood)** dans *Le Bon, la Brute et le Truand*.

Derrière la caméra

Quel film de Clint Eastwood sorti en 1993, avec Kevin Costner, retrace l'histoire d'un prisonnier évadé, Butch, qui prend un enfant en otage, Phillip, et est poursuivi par Red Garnett dans tout le Texas ?

C'est *Un monde parfait*.

Retrouvez les titres de films comportant des nombres, grâce aux indices suivants :

① Comment se nomme l'ouvrier THX ?

② Combien de lieues sous les mers ?

③ Combien d'années au Tibet ?

Voici les titres des films en question :
① *THX 1138*, de Georges Lucas.
② *Vingt Mille Lieues sous les mers*, de Georges Méliès, Stuart Paton ou Richard Fleischer.
③ *Sept Ans au Tibet*, de Jean-Jacques Annaud.

histoire du cinéma

Quel est le premier film de l'histoire du « précinéma » ? Son réalisateur ?

On peut considérer que *Science of Animal Locomotion* de Muybridge, montré à l'Exposition universelle de Chicago de 1893, est la première projection privée payante de l'histoire du cinéma ; ou plutôt de l'histoire du « précinéma ». En effet, le zoopraxiscope dont il se sert n'est pas réellement une caméra mais un appareil qui permet de recomposer un mouvement préalablement décomposé en plusieurs photographies.

Quelle est l'arme utilisée par Catherine Tramell (Sharon Stone) pour supprimer son amant dans *Basic Instinct* ?

Un pic à glace…

animation

① Comment se nomme la méchante sorcière dans *Kirikou et la sorcière* ?

② Quel est le refrain de la célèbre chanson du film ?

① **Karaba**. Elle bloque l'accès à l'eau et enlève tous les hommes du village de Kirikou.

② Le refrain d'une des principales chansons du film :
Kirikou n'est pas grand, mais il est vaillant
Kirikou est petit, mais c'est mon ami.

Comment Jeffrey Lebowski se fait-il appeler dans *The Big Lebowski*, des frères Coen ?

Le Duc, en français ; et, mieux que ça, The Dude, en anglais, c'est-à-dire « Le Gars ».

Derrière la caméra

① Quel est le titre du premier film écrit et réalisé par Quentin Tarantino ? Attention, il y a un piège !
② Question bonus : sauriez-vous nommer les six longs-métrages de Quentin Tarantino ?

① Hé non, ce n'est pas *Reservoir Dogs*, mais *My best friend's birthday*, réalisé en 1987, mais qui fut endommagé par un incendie de laboratoire ; seules trente-six minutes sur les soixante-dix d'origine ont survécu.

② Les six longs-métrages parus réalisés par Quentin Tarantino sont, dans l'ordre, *Reservoir Dogs* (1992), *Pulp Fiction* (1994), *Jackie Brown* (1997), *Kill Bill* (2 volets, 2003, 2004), et *Boulevard de la mort* (2007).

adaptation littéraire

Parmi ces œuvres littéraires, laquelle n'a pas été adaptée au cinéma ?

① *La Princesse de Clèves*, de madame de Lafayette

② *Mémoires d'outre-tombe*, de François-René de Chateaubriand

③ *Les Liaisons dangereuses*, de Choderlos de Laclos

④ *L'Étranger*, d'Albert Camus

Mémoires d'outre-tombe.
Voici les réalisateurs des trois autres films :
① **Jean Delannoy ;**
③ **Roger Vadim et Stephen Frears ;**
④ **Luchino Visconti.**

COMÉDIE

Dans quel film de Robert Rodriguez peut-on voir Cherry (Rose McGowan) affublée d'une mitraillette en guise de jambe de bois ?

***Planète Terreur*.** **Ne vous êtes-vous jamais demandé comment elle faisait pour déclencher l'arme ?**

Derrière la caméra

Quel est le nom du célèbre Cubain devenu grand trafiquant de drogue aux États-Unis dans le film *Scarface*, de Brian De Palma ?

Antonio Montana, dit Tony, interprété par Al Pacino. Scarface était le surnom du célèbre Al Capone. **Le saviez-vous ?** C'est Oliver Stone qui est à l'origine du scénario de *Scarface*.

Quel film fit de Bruce Lee une véritable star ?

Big Boss (1971). Bruce Lee interprète Cheng, un jeune émigrant chinois qui part chercher du travail en Thaïlande. Embauché dans une fabrique de glace, Cheng découvre que son usine sert de façade à de redoutables trafiquants de drogue...

citations cultes

Quel personnage (et quel acteur) prononce les paroles suivantes, et dans quel film ?

① « T'es debout là ?

— Ouais pourquoi ?

— Nan parce qu'on dirait que tu es loin. Allez hop, ça c'est fait... »

② « Vous ne regardez pas vos messages ? C'est peut-être important.

— Ouais, les deux derniers aussi étaient importants.

Le premier était de ma femme, pour me dire qu'elle me quittait. Le deuxième de mon avocat, lui aussi pour me dire qu'il me quittait. Avec ma femme. »

① **Brice de Nice** (Jean Dujardin), dans le film éponyme.
② **Korben Dallas** (Bruce Willis) dans *Le Cinquième Élément*.

Derrière la caméra

Pouvez-vous citer au moins cinq films prenant pour cadre la Seconde Guerre mondiale ?

En voici quelques-uns :
Mémoire de nos pères, de Clint Eastwood
Mais où est donc passée la septième compagnie, de Robert Lamoureux
Il faut sauver le soldat Ryan, de Steven Spielberg
Stalingrad, de Jean-Jacques Annaud
Indigènes, de Rachid Bouchareb
La Ligne rouge, de Terrence Malick
La Liste de Schindler, de Steven Spielberg
La Vie est belle, de Roberto Benigni
Le Dictateur, de Charlie Chaplin
... et beaucoup d'autres.

Quel acteur interpréta « Q »,
le grand scientifique pourvoyeur de gadgets
en tous genres, dans 17 *James Bond* ?

Desmond Llewelyn.

En quel animal les parents de Chihiro
sont-ils changés dans *Le Voyage de Chihiro* ?

En cochons.